초등

뜯어먹는 필수 영단어

1

뜯어먹는 초등 필수 영단어 **이렇게 만들었어요!**

초등학교 교과서를 분석하여 교육부 권장 영단어 800개와 교과서 필수 영단어 200개를 엄선하여 총 1,000단어를 제시했습니다. (1, 2권 전체)

말하기에 필요한 초등 필수 문장 90개를 뽑아서 단어와 연계 학습할 수 있게 만들었습니다.

보고, 듣고, 말하고, 쓰고 언어의 4영역을 통합 활용하여 영어 사용 능력을 키울 수 있습니다.

이렇게 활용하세요!

1 오늘의 단어 학습

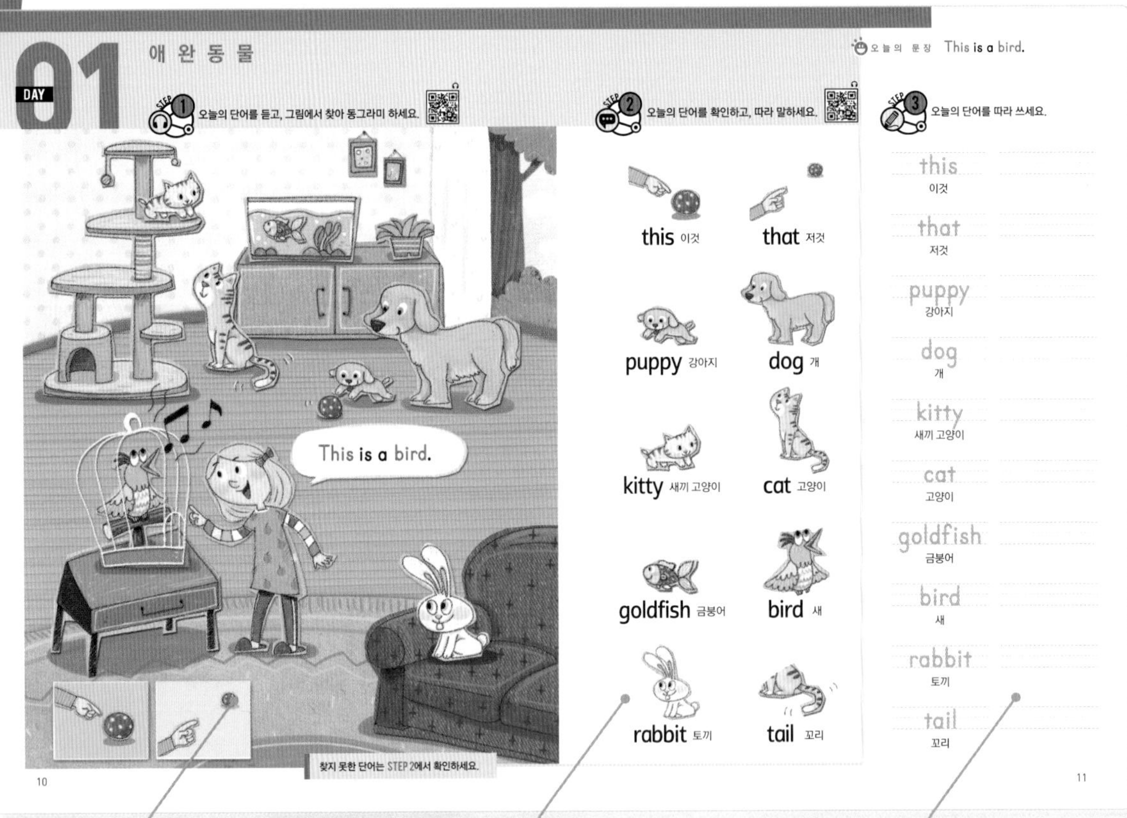

Step 1 오늘의 단어 찾기

QR코드로 바로 음원을 들으면서 오늘의 단어 10개를 그림 속에서 찾으세요.

Step 2 오늘의 단어 확인

그림 속에서 단어를 맞게 찾았는지 확인하고 큰 소리로 따라 말하세요.

Step 3 오늘의 단어 쓰기

눈으로만 익혀서는 정확히 외우기 힘들어요. 단어를 하나하나 쓰면서 익히세요.

2 TEST

단어를 제대로 익혔는지 테스트를 통해 확인하고,
초등 필수 문장으로 단어가 어떻게 활용되는지 연습합니다.

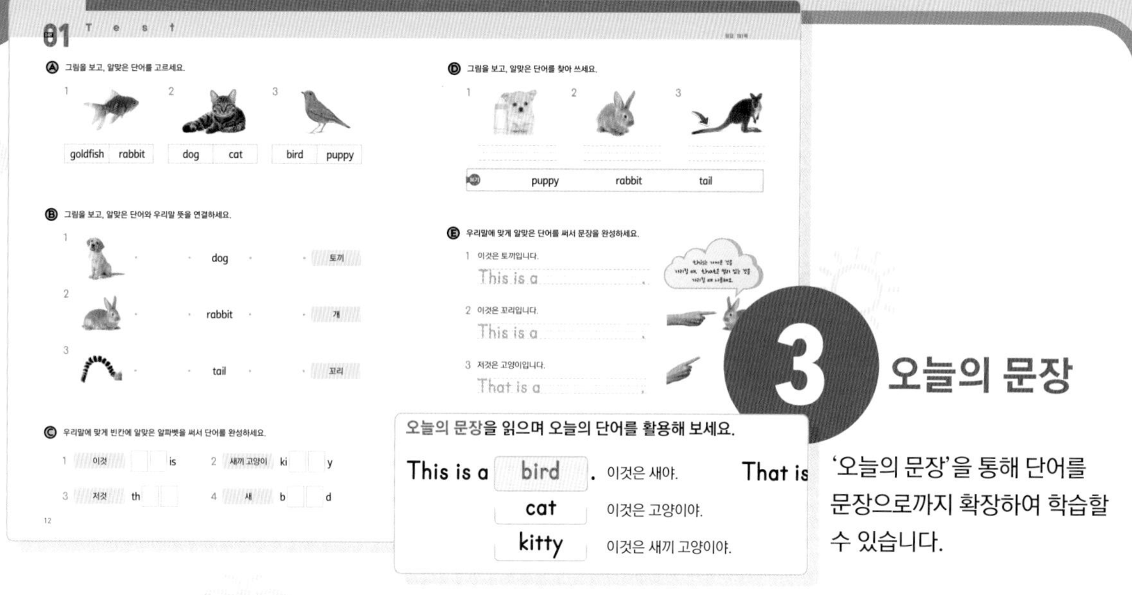
01 Test

Ⓐ 그림을 보고, 알맞은 단어를 고르세요.

1 goldfish rabbit 2 dog cat 3 bird puppy

Ⓑ 그림을 보고, 알맞은 단어와 우리말 뜻을 연결하세요.

1 dog 토끼
2 rabbit 개
3 tail 꼬리

Ⓒ 우리말에 맞게 빈칸에 알맞은 알파벳을 써서 단어를 완성하세요.

1 이것 is 2 새끼 고양이 ki y
3 저것 th 4 새 b d

12

Ⓓ 그림을 보고, 알맞은 단어를 찾아 쓰세요.

1 2 3

puppy rabbit tail

Ⓔ 우리말에 맞게 알맞은 단어를 써서 문장을 완성하세요.

1 이것은 토끼입니다. This is a .
2 이것은 꼬리입니다. This is a .
3 저것은 고양이입니다. That is a .

3 오늘의 문장

오늘의 문장을 읽으며 오늘의 단어를 활용해 보세요.

This is a bird. 이것은 새야.
cat 이것은 고양이야.
kitty 이것은 새끼 고양이야.

That is

'오늘의 문장'을 통해 단어를 문장으로까지 확장하여 학습할 수 있습니다.

4 뜯어먹는 쓰기 노트

쓰기노트 DAY 02	쓰기노트 DAY 01
영단어 쓰기 1	영단어 쓰기 1
1 I	1 this
2 my	2 that
3 you	3 puppy

최종 마무리!
'뜯어먹는 쓰기 노트'에 '오늘의 단어'를 써 보세요.
단어를 제대로 다 썼으면 쓰기 노트를 뜯어서 미니 단어장으로 만들 수 있습니다. 하나하나 뜯다보면 초등 필수 영단어가 내 머릿속에 들어 있어요.

한 번 더! +

며칠 지나니까 단어가 가물가물해요.
4일간 누적된 단어를 Review Test를 통해 복습하면서 한 번 더 확실히 외울 수 있습니다.

Review Test

DAY 01 02 03 04

A 다음 단어의 우리말 뜻을 쓰세요.

1 afternoon		11 great	
2 you		12 hi	
3 we		13 good	
4 he		14 brother	
5 bye		15 I	
6 cat		16 morning	
7 that		17 name	
8 tail		18 they	
9 rabbit		19 fine	
10 puppy		20 she	

B 다음 우리말 뜻에 해당하는 단어를 쓰세요.

1 아빠		11 저녁	
2 밤		12 엄마	
3 나의		13 개	
4 만나다		14 날, 요일	
5 새끼 고양이		15 이것	
6 (만났을 때) 안녕		16 할머니	
7 잘 가, 안녕		17 새	
8 할아버지		18 무엇	
9 금붕어		19 누나, 언니, 여동생	
10 친구		20 너의	

26

C 그림을 보고, 알맞은 단어를 골라 문장을 완성하세요.

1 This is a (kitty / puppy).
2 That is a (goldfish / rabbit).
3 He is my (grandpa / grandma).
4 She is my (brother / sister).
5 Good (afternoon / night).

D 우리말에 맞게 알맞은 단어를 써서 문장을 완성하세요.

1 안녕, 내 이름은 토니야. Hi, my ______ is Tony.
2 나는 앤이야. ______ am Ann.
3 좋은 아침이야. Good ______.
4 그녀는 나의 엄마셔. ______ is my ______.
5 이것은 꼬리야. ______ is a ______.

27

다음 순서로 공부해요!

DAY			
01	애완동물	This is a bird.	10
02	자기소개	Hi, my name is Jenny.	14
03	인사하기	Good morning, Jake.	18
04	우리 가족	She is my sister.	22
	Review Test	DAY 01 ~ DAY 04 복습하기	26
05	장난감	It is my ball.	28
06	학교	Do you have a pen?	32
07	숫자	I have three balls.	36
08	과일	I like apples.	40
	Review Test	DAY 05 ~ DAY 08 복습하기	44
09	얼굴	Touch your nose.	46
10	몸	Move your hips.	50
11	동물	A: What is it? B: It is an elephant.	54
12	자연	Look at the stars.	58
	Review Test	DAY 09 ~ DAY 12 복습하기	62
13	교통수단	Take an airplane.	64
14	반대말 1	It is a big elephant.	68
15	동작과 능력	I can swim.	72
16	제안하기	Let's go together.	76
	Review Test	DAY 13 ~ DAY 16 복습하기	80
17	운동	Let's play soccer.	82
18	색	A: What color is it? B: It is blue.	86
19	요일	It is Thursday today.	90
20	음식	I want some candies.	94
	Review Test	DAY 17 ~ DAY 20 복습하기	98

DAY			
21	기분과 상태	I am angry.	100
22	금지하기	Don't push, please.	104
23	날씨	It is sunny today.	108
24	나이	I am eleven years old.	112
Review Test		DAY 21 ~ DAY 24 복습하기	116
25	감탄하기	How busy!	118
26	물건의 위치	A: Where is my watch? B: It is on the table.	122
27	집 안	I am in the kitchen.	126
28	계절	It is warm in spring.	130
Review Test		DAY 25 ~ DAY 28 복습하기	134
29	시각과 일과	It is twelve o'clock. It is time for lunch.	136
30	악기	I can play the piano.	140
31	지금 하는 일	I am studying. He is sleeping.	144
32	반대말 2	This room is bright.	148
Review Test		DAY 29 ~ DAY 32 복습하기	152
33	옷 1	He is wearing a hat.	154
34	옷 2	Put on your boots, please.	158
35	음식의 맛	A: How is your ice cream? B: It is sweet.	162
36	주방 물건	There is a bowl in the kitchen.	166
Review Test		DAY 33 ~ DAY 36 복습하기	170
37	감각	It tastes delicious.	172
38	인물	Do you know that girl?	176
39	호칭	That captain is Mr. Brave.	180
40	달력	Today is my birthday.	184
Review Test		DAY 37 ~ DAY 40 복습하기	188

자신에게 알맞은 **진도표를 선택하세요.**

뜯어먹는 초등 필수 영단어 표준 진도표는 **하루하루 진도표** 입니다. 매일 10단어씩 공부해서 40일 만에 단어 학습을 완성합니다. 좀 더 꼼꼼하게 학습하고 싶은 학생에게는 **꼼꼼 진도표** 를, 좀 더 빠르게 학습하고 싶은 학생에게는 **빠른 진도표** 를 추천합니다.

하루하루 진도표

하루에 **10개씩**
전체 **400단어** 학습

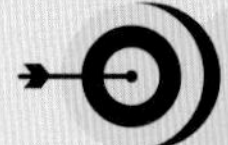

하루하루 꾸준히!
40일 완성!

1주	DAY 01	DAY 02	DAY 03	DAY 04 / RT	DAY 05	DAY 06
2주	DAY 07	DAY 08 / RT	DAY 09	DAY 10	DAY 11	DAY 12 / RT
3주	DAY 13	DAY 14	DAY 15	DAY 16 / RT	DAY 17	DAY 18
4주	DAY 19	DAY 20 / RT	DAY 21	DAY 22	DAY 23	DAY 24 / RT
5주	DAY 25	DAY 26	DAY 27	DAY 28 / RT	DAY 29	DAY 30
6주	DAY 31	DAY 32 / RT	DAY 33	DAY 34	DAY 35	DAY 36 / RT
7주	DAY 37	DAY 38	DAY 39	DAY 40 / RT	* RT = Review Test	

꼼꼼 진도표

하루에 **5개씩**
전체 **400단어** 학습

절반씩 꼼꼼히!
80일 완성!

1주	DAY 01	DAY 01	DAY 02	DAY 02	DAY 03	DAY 03
2주	DAY 04	DAY 04 / RT	DAY 05	DAY 05	DAY 06	DAY 06
3주	DAY 07	DAY 07	DAY 08	DAY 08 / RT	DAY 09	DAY 09
4주	DAY 10	DAY 10	DAY 11	DAY 11	DAY 12	DAY 12 / RT
5주	DAY 13	DAY 13	DAY 14	DAY 14	DAY 15	DAY 15
6주	DAY 16	DAY 16 / RT	DAY 17	DAY 17	DAY 18	DAY 18
7주	DAY 19	DAY 19	DAY 20	DAY 20 / RT	DAY 21	DAY 21
8주	DAY 22	DAY 22	DAY 23	DAY 23	DAY 24	DAY 24 / RT
9주	DAY 25	DAY 25	DAY 26	DAY 26	DAY 27	DAY 27
10주	DAY 28	DAY 28 / RT	DAY 29	DAY 29	DAY 30	DAY 30
11주	DAY 31	DAY 31	DAY 32	DAY 32 / RT	DAY 33	DAY 33
12주	DAY 34	DAY 34	DAY 35	DAY 35	DAY 36	DAY 36 / RT
13주	DAY 37	DAY 37	DAY 38	DAY 38	DAY 39	DAY 39
14주	DAY 40	DAY 40 / RT				

빠른 진도표

하루에 **20개씩** 전체 **400단어** 학습

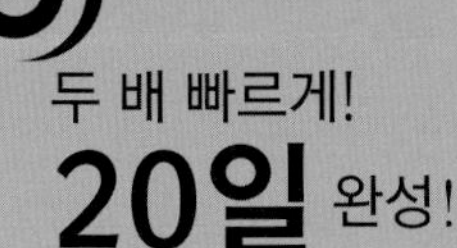

두 배 빠르게!
20일 완성!

1주	DAY 01~02	DAY 03~04 / RT	DAY 05~06	DAY 07~08 / RT	DAY 09~10	DAY 11~12 / RT
2주	DAY 13~14	DAY 15~16 / RT	DAY 17~18	DAY 19~20 / RT	DAY 21~22	DAY 23~24 / RT
3주	DAY 25~26	DAY 27~28 / RT	DAY 29~30	DAY 31~32 / RT	DAY 33~34	DAY 35~36 / RT
4주	DAY 37~38	DAY 39~40 / RT				

진도표를 참고하여 자신만의

학습 계획표를 만들어 보세요.

- 3단계 진도표 중 본인이 고른 진도표를 참고하여 학습 계획표를 만드세요.
- 학습 계획표에 학습할 단원과 날짜를 쓰세요.
- 학습 계획표에 맞추어 공부하고, 잘한 만큼 메달에 동그라미 하세요.

주	단원	학습 날짜	성취도	단원	학습 날짜	성취도
1주	DAY 01	____월 ____일			____월 ____일	
		____월 ____일			____월 ____일	
		____월 ____일			____월 ____일	
2주		____월 ____일			____월 ____일	
		____월 ____일			____월 ____일	
		____월 ____일			____월 ____일	
3주		____월 ____일			____월 ____일	
		____월 ____일			____월 ____일	
		____월 ____일			____월 ____일	
4주		____월 ____일			____월 ____일	
		____월 ____일			____월 ____일	
		____월 ____일			____월 ____일	
5주		____월 ____일			____월 ____일	
		____월 ____일			____월 ____일	
		____월 ____일			____월 ____일	
6주		____월 ____일			____월 ____일	
		____월 ____일			____월 ____일	
		____월 ____일			____월 ____일	
7주		____월 ____일			____월 ____일	
		____월 ____일			____월 ____일	
		____월 ____일			____월 ____일	

빠른 진도표

하루하루 진도표

학습 계획표

주	단원	학습 날짜	성취도	단원	학습 날짜	성취도
8주		____월 ____일			____월 ____일	
		____월 ____일			____월 ____일	
		____월 ____일			____월 ____일	
9주		____월 ____일			____월 ____일	
		____월 ____일			____월 ____일	
		____월 ____일			____월 ____일	
10주		____월 ____일			____월 ____일	
		____월 ____일			____월 ____일	
		____월 ____일			____월 ____일	
11주		____월 ____일			____월 ____일	
		____월 ____일			____월 ____일	
		____월 ____일			____월 ____일	
12주		____월 ____일			____월 ____일	
		____월 ____일			____월 ____일	
		____월 ____일			____월 ____일	
13주		____월 ____일			____월 ____일	
		____월 ____일			____월 ____일	
		____월 ____일			____월 ____일	
14주		____월 ____일			____월 ____일	
		____월 ____일			____월 ____일	
		____월 ____일			____월 ____일	

꼼꼼 진도표

이렇게 학습해 보세요.

1. **Step 1**의 QR코드를 통해 오늘의 단어를 들으면서 그림 속에서 '오늘의 단어'를 찾으세요. (2분)
2. **Step 2**에서 단어를 맞게 찾았는지 확인하고 큰 소리로 따라 말하세요. (3분)
3. **Step 3**에서 '오늘의 단어'를 쓰면서 암기하세요. (10분)
4. **Test**를 풀면서 단어를 확인하고 '오늘의 문장'에 단어를 넣어가면서 통째로 암기하세요. (10분)
5. 채점하고 틀린 것을 골라내어 다시 학습하세요. (5분)

▶ 총 학습 시간: 약 30분

DAY 01

애 완 동 물

STEP 1 오늘의 단어를 듣고, 그림에서 찾아 동그라미 하세요.

This is a bird.

찾지 못한 단어는 STEP 2에서 확인하세요.

STEP 2 오늘의 단어를 확인하고, 따라 말하세요.

this 이것 **that** 저것

puppy 강아지 **dog** 개

kitty 새끼 고양이 **cat** 고양이

goldfish 금붕어 **bird** 새

rabbit 토끼 **tail** 꼬리

STEP 3 오늘의 단어를 따라 쓰세요.

this
이것

that
저것

puppy
강아지

dog
개

kitty
새끼 고양이

cat
고양이

goldfish
금붕어

bird
새

rabbit
토끼

tail
꼬리

DAY 01 Test

Ⓐ 그림을 보고, 알맞은 단어를 고르세요.

1		2		3	
goldfish	rabbit	dog	cat	bird	puppy

Ⓑ 그림을 보고, 알맞은 단어와 우리말 뜻을 연결하세요.

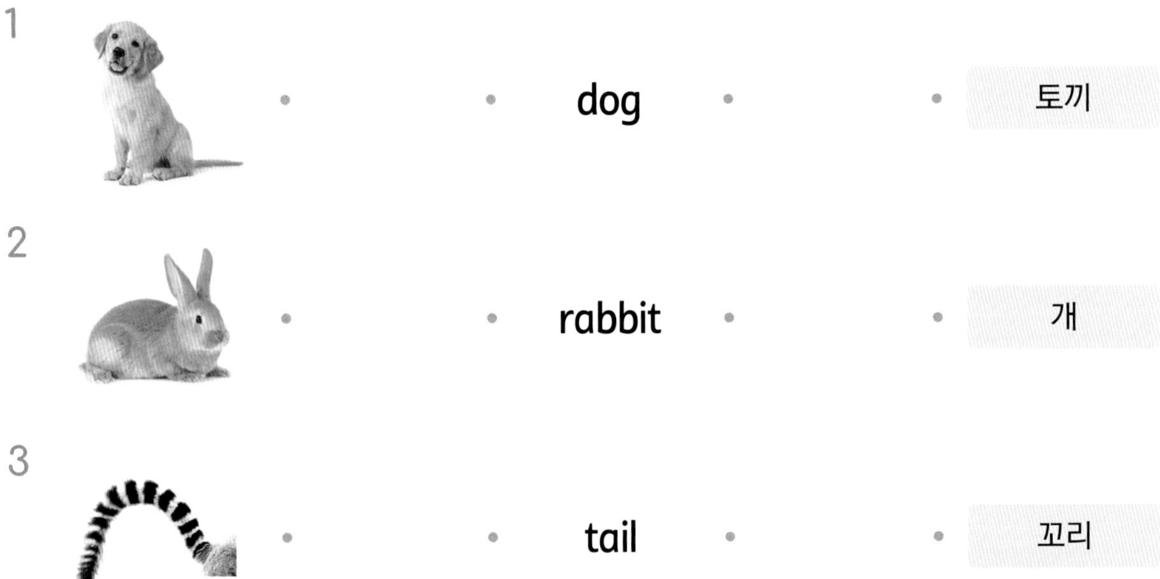

1 • • dog • • 토끼

2 • • rabbit • • 개

3 • • tail • • 꼬리

Ⓒ 우리말에 맞게 빈칸에 알맞은 알파벳을 써서 단어를 완성하세요.

1 이것 ☐☐is

2 새끼 고양이 ki☐☐y

3 저것 th☐☐

4 새 b☐☐d

D 그림을 보고, 알맞은 단어를 찾아 쓰세요.

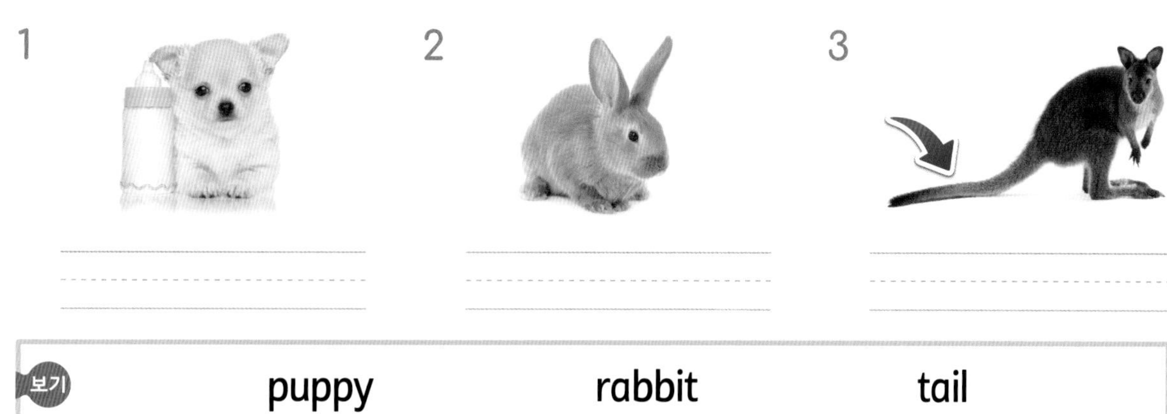
1
2
3

보기 puppy rabbit tail

E 우리말에 맞게 알맞은 단어를 써서 문장을 완성하세요.

1 이것은 토끼입니다.

This is a ______.

2 이것은 꼬리입니다.

This is a ______.

3 저것은 고양이입니다.

That is a ______.

this는 가까운 것을
가리킬 때, that은 멀리 있는 것을
가리킬 때 사용해요.

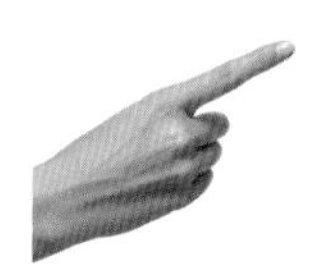

오늘의 문장을 읽으며 오늘의 단어를 활용해 보세요.

This is a	bird.	이것은 새야.	That is a	rabbit.	저것은 토끼야.
	cat	이것은 고양이야.		dog	저것은 개야.
	kitty	이것은 새끼 고양이야.		puppy	저것은 강아지야.

DAY **02** 자기소개

STEP 1 오늘의 단어를 듣고, 징검다리를 건너세요.

Amy

Hi, my name is Jenny.

찾지 못한 단어는 STEP 2에서 확인하세요.

STEP 2 오늘의 단어를 확인하고, 따라 말하세요.

I 나

my 나의

you 너

your 너의

what 무엇

name 이름

hi
(만났을 때) 안녕

hello
(만났을 때) 안녕

bye
(헤어질 때) 잘 가, 안녕

goodbye
(헤어질 때) 잘 가, 안녕

STEP 3 오늘의 단어를 따라 쓰세요.

I
나

my
나의

you
너

your
너의

what
무엇

name
이름

hi
안녕

hello
안녕

bye
잘 가, 안녕

goodbye
잘 가, 안녕

DAY 02 Test

Ⓐ 그림을 보고, 알맞은 단어를 골라 기호를 쓰세요.

보기 ⓐ what ⓑ you ⓒ I

Ⓑ 그림을 보고, 알맞은 단어와 연결한 다음 우리말 뜻을 쓰세요.

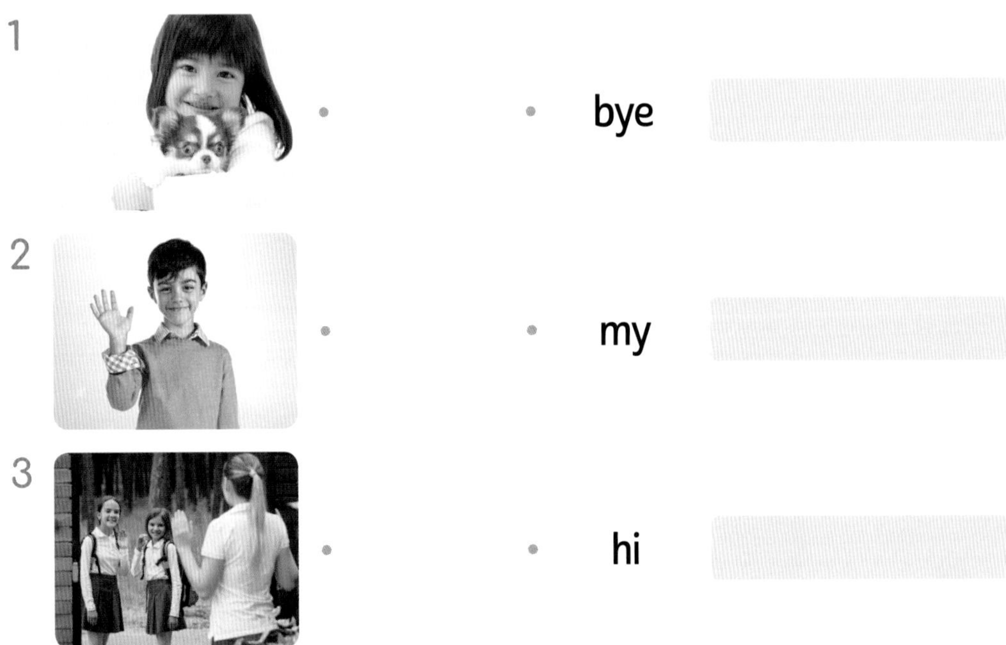

1 • • bye

2 • • my

3 • • hi

Ⓒ 우리말에 맞게 알파벳을 바르게 배열하여 단어를 쓰세요.

1 안녕 ______ (e, h, l, o, l)

2 이름 ______ (a, e, m, n)

3 너의 ______ (o, r, u, y)

4 잘 가 ______ (b, e, d, g, o, y, o)

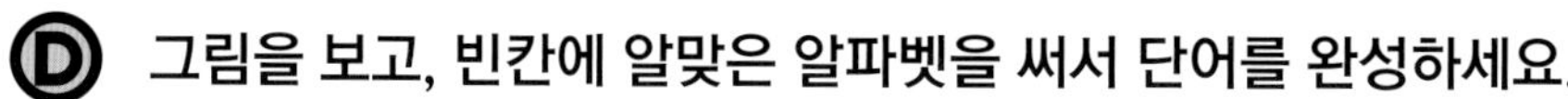

D 그림을 보고, 빈칸에 알맞은 알파벳을 써서 단어를 완성하세요.

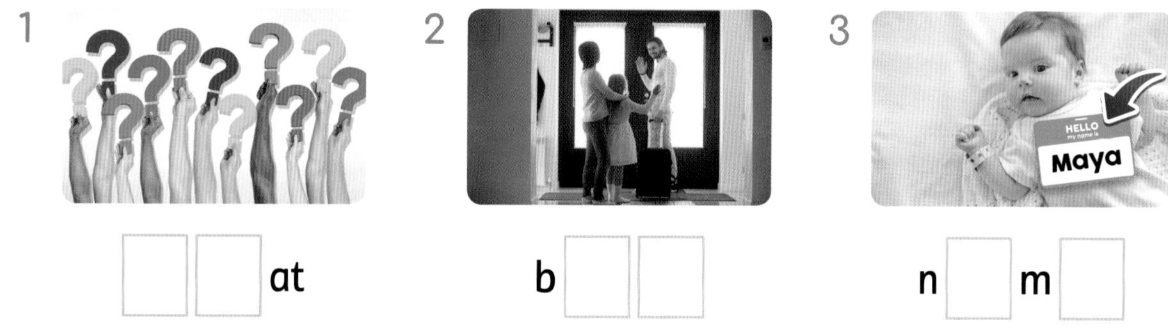

1 ☐☐at

2 b☐☐

3 n☐m☐

E 우리말에 맞게 알맞은 단어를 써서 문장을 완성하세요.

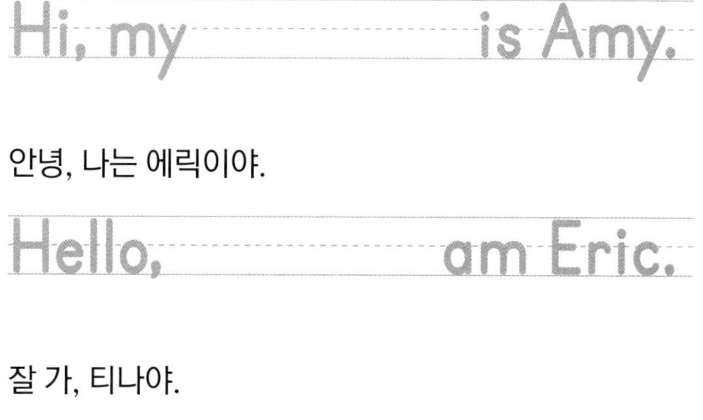

1 안녕, 내 이름은 에이미야.

Hi, my ______ is Amy.

2 안녕, 나는 에릭이야.

Hello, ______ am Eric.

3 잘 가, 티나야.

______, Tina.

누군가를 만났을 때는 Hi. 또는 Hello.라고 인사하고, 헤어질 때는 Bye. 또는 Goodbye.라고 인사해요.

오늘의 문장을 읽으며 오늘의 단어를 활용해 보세요.

Hi / Hello, my name is Jenny / Mike.

안녕, 내 이름은 제니야.

안녕, 내 이름은 마이크야.

Bye / Goodbye, Mike / Jenny.

잘 가, 마이크야.

잘 가, 제니야.

DAY 03

인 사 하 기

오늘의 단어를 듣고, 그림에서 찾아 번호를 쓰세요.

day

night

good

fine

great

Good morning, Jake.

찾지 못한 단어는 STEP 2에서 확인하세요.

STEP 2 오늘의 단어를 확인하고, 따라 말하세요.

good 좋은

morning 아침

afternoon 오후

evening 저녁

night 밤

day 낮, 요일

meet 만나다

fine 괜찮은

great 아주 좋은

friend 친구

STEP 3 오늘의 단어를 따라 쓰세요.

good 좋은

morning 아침

afternoon 오후

evening 저녁

night 밤

day 낮, 요일

meet 만나다

fine 괜찮은

great 아주 좋은

friend 친구

DAY 03 Test

Ⓐ 그림을 보고, 알맞은 단어를 고르세요.

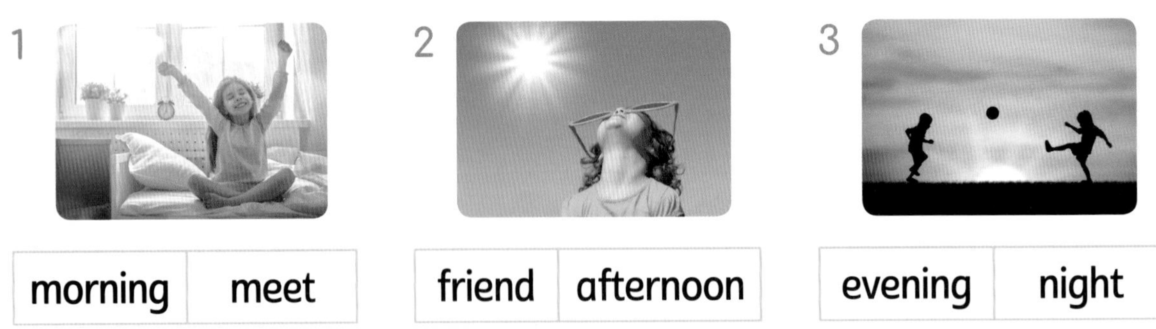

1 morning | meet

2 friend | afternoon

3 evening | night

Ⓑ 그림을 보고, 알맞은 단어와 우리말 뜻을 연결하세요.

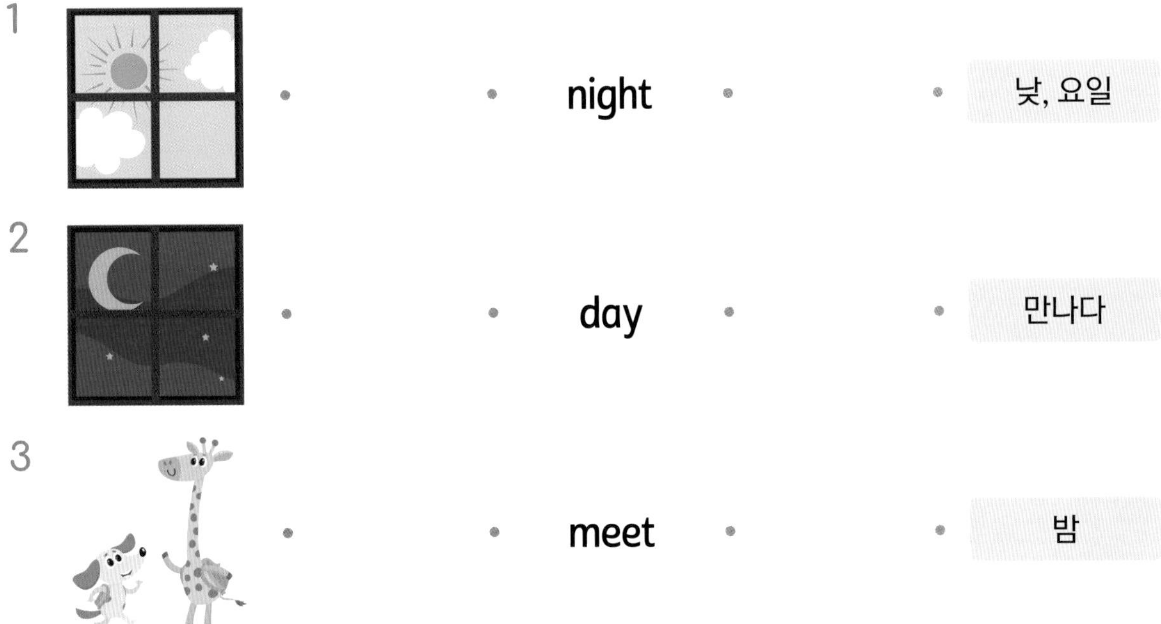

1 • • night • • 낮, 요일

2 • • day • • 만나다

3 • • meet • • 밤

Ⓒ 우리말에 맞게 빈칸에 알맞은 알파벳을 써서 단어를 완성하세요.

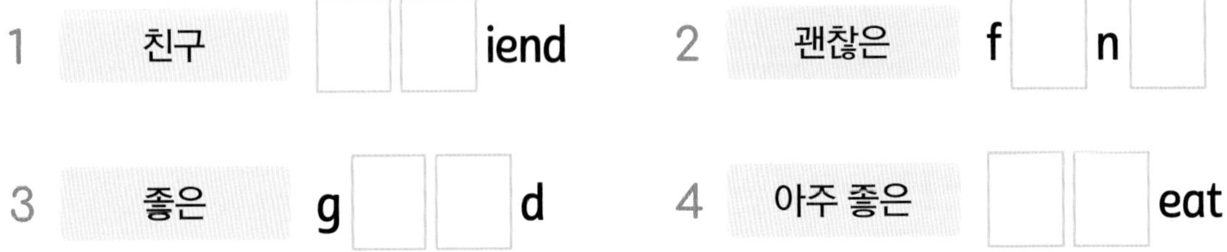

1 친구 ☐☐iend

2 괜찮은 f☐n☐

3 좋은 g☐☐d

4 아주 좋은 ☐☐eat

정답 192쪽

Ⓓ 그림을 보고, 알맞은 단어를 찾아 쓰세요.

1 ______ 2 ______ 3 ______

보기 night friend good

Ⓔ 우리말에 맞게 알맞은 단어를 써서 문장을 완성하세요.

1 좋은 아침이야.

Good ______.

2 좋은 오후야.

Good ______.

3 좋은 밤 되렴. / 잘 자.

Good ______.

 오늘의 문장을 읽으며 오늘의 단어를 활용해 보세요.

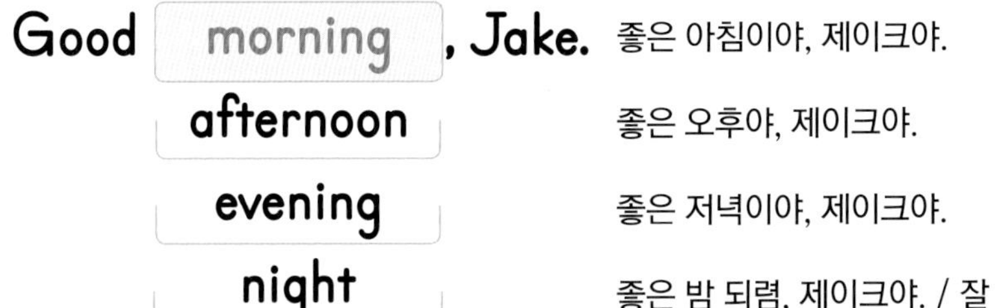

Good morning, Jake. 좋은 아침이야, 제이크야.
afternoon 좋은 오후야, 제이크야.
evening 좋은 저녁이야, 제이크야.
night 좋은 밤 되렴, 제이크야. / 잘 자, 제이크야.

DAY **04**

우리 가족

STEP 1 오늘의 단어를 듣고, 그림에서 찾아 동그라미 하세요.

찾지 못한 단어는 STEP 2에서 확인하세요.

STEP 2 오늘의 단어를 확인하고, 따라 말하세요.

dad 아빠

mom 엄마

brother
형, 오빠, 남동생

sister
누나, 언니, 여동생

grandpa
할아버지

grandma
할머니

he 그

she 그녀

they 그들

we 우리

STEP 3 오늘의 단어를 따라 쓰세요.

dad
아빠

mom
엄마

brother
형, 오빠, 남동생

sister
누나, 언니, 여동생

grandpa
할아버지

grandma
할머니

he
그

she
그녀

they
그들

we
우리

Ⓐ 그림을 보고, 알맞은 단어를 골라 기호를 쓰세요.

보기 ⓐ brother ⓑ dad ⓒ mom

Ⓑ 그림을 보고, 알맞은 단어와 연결한 다음 우리말 뜻을 쓰세요.

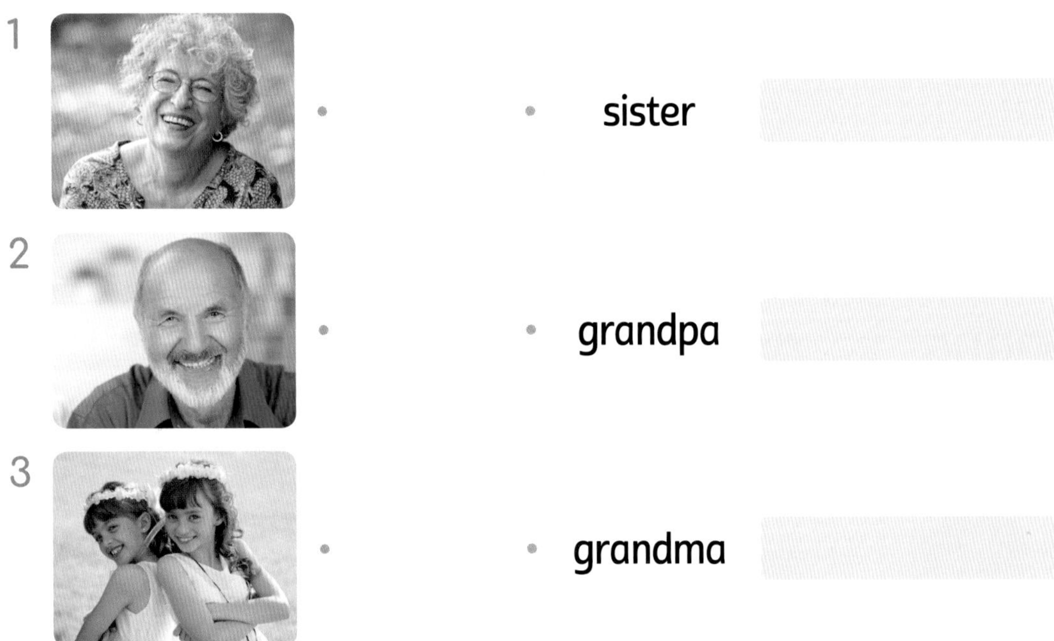

1 • • sister

2 • • grandpa

3 • • grandma

Ⓒ 우리말에 맞게 빈칸에 알맞은 알파벳을 써서 단어를 완성하세요.

1 그 _e

2 우리 w_

3 그녀 __e

4 그들 __ey

D 그림을 보고, 알파벳을 바르게 배열하여 단어를 쓰세요.

1 

(a, a, d, g, m, n, r)

2 

(b, e, h, o, r, r, t)

3 

(e, i, s, t, r, s)

E 우리말에 맞게 알맞은 단어를 써서 문장을 완성하세요.

1 그는 나의 할아버지셔.

He is my ______________.

2 그는 나의 아빠셔.

He is my ______________.

3 그녀는 나의 엄마셔.

She is my ______________.

남자 가족을 말할 때는 He is my ~.로 말하고, 여자 가족을 말할 때는 She is my ~.로 말해요.

 오늘의 문장을 읽으며 오늘의 단어를 활용해 보세요. 

She	is my	sister	.	그녀는 나의 언니야.
He		brother		그는 나의 남동생이야.
She		grandma		그녀는 나의 할머니셔.

Review Test

A 다음 단어의 우리말 뜻을 쓰세요.

1 afternoon ____________
2 you ____________
3 we ____________
4 he ____________
5 bye ____________
6 cat ____________
7 that ____________
8 tail ____________
9 rabbit ____________
10 puppy ____________
11 great ____________
12 hi ____________
13 good ____________
14 brother ____________
15 I ____________
16 morning ____________
17 name ____________
18 they ____________
19 fine ____________
20 she ____________

B 다음 우리말 뜻에 해당하는 단어를 쓰세요.

1 아빠 ____________
2 밤 ____________
3 나의 ____________
4 만나다 ____________
5 새끼 고양이 ____________
6 (만났을 때) 안녕 ____________
7 잘 가, 안녕 ____________
8 할아버지 ____________
9 금붕어 ____________
10 친구 ____________
11 저녁 ____________
12 엄마 ____________
13 개 ____________
14 낮, 요일 ____________
15 이것 ____________
16 할머니 ____________
17 새 ____________
18 무엇 ____________
19 누나, 언니, 여동생 ____________
20 너의 ____________

정답 211쪽

C 그림을 보고, 알맞은 단어를 골라 문장을 완성하세요.

1 This is a (kitty / puppy).

2 

That is a (goldfish / rabbit).

3 

He is my (grandpa / grandma).

4 

She is my (brother / sister).

5 

Good (afternoon / night).

D 우리말에 맞게 알맞은 단어를 써서 문장을 완성하세요.

1 안녕, 내 이름은 토니야. Hi, my ________ is Tony.

2 나는 앤이야. ________ am Ann.

3 좋은 아침이야. Good ________.

4 그녀는 나의 엄마셔. ________ is my ________.

5 이것은 꼬리야. ________ is a ________.

DAY 05 장 난 감

오늘의 단어를 듣고, 그림에서 찾아 동그라미 하세요.

It is my ball.

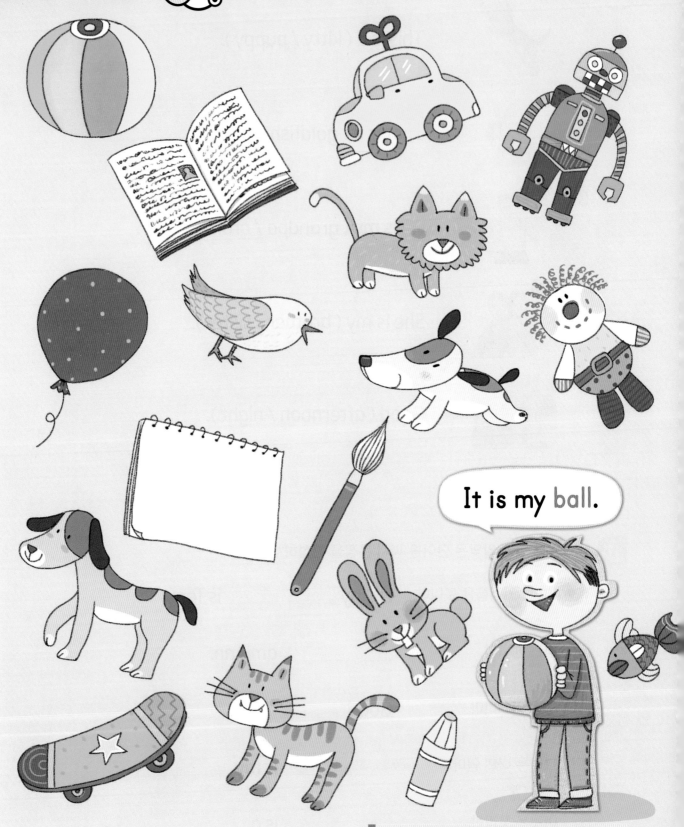

찾지 못한 단어는 STEP 2에서 확인하세요.

오늘의 문장 It is my ball.

STEP 2 오늘의 단어를 확인하고, 따라 말하세요.

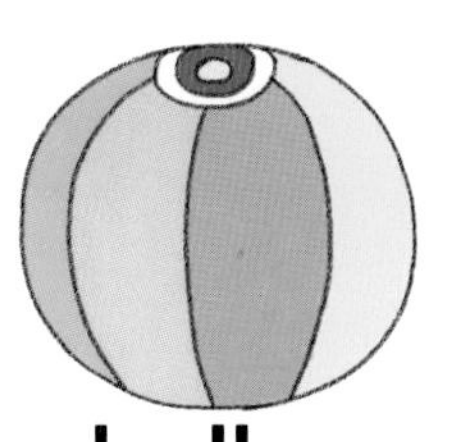

ball 공

doll 인형

robot 로봇

book 책

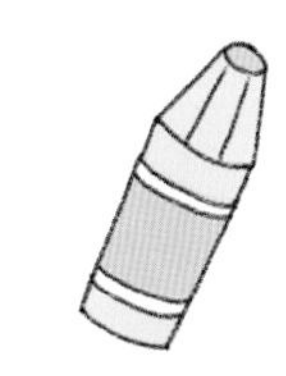

crayon 크레용

brush 붓

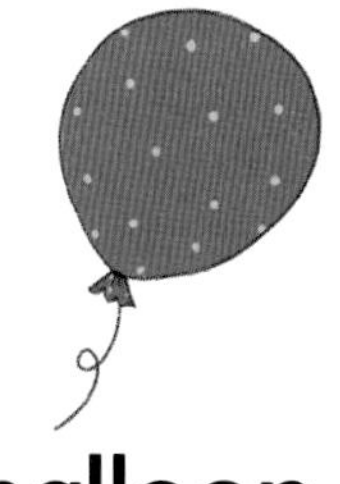

balloon
풍선

toy car
장난감 자동차

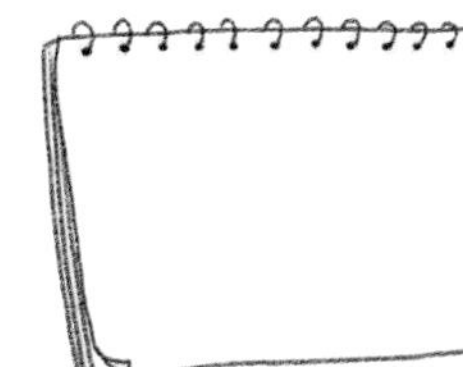

skateboard
스케이트보드

sketchbook
스케치북

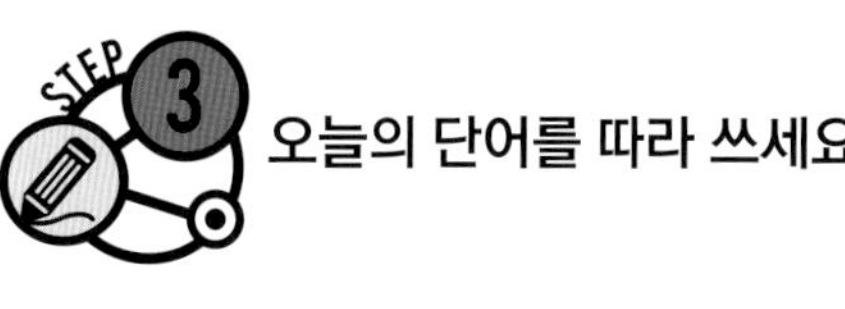

STEP 3 오늘의 단어를 따라 쓰세요.

ball
공

doll
인형

robot
로봇

book
책

crayon
크레용

brush
붓

balloon
풍선

toy car
장난감 자동차

skateboard
스케이트보드

sketchbook
스케치북

A 그림을 보고, 알맞은 단어를 골라 기호를 쓰세요.

보기 ⓐ balloon ⓑ skateboard ⓒ robot

B 그림을 보고, 알맞은 단어와 연결한 다음 우리말 뜻을 쓰세요.

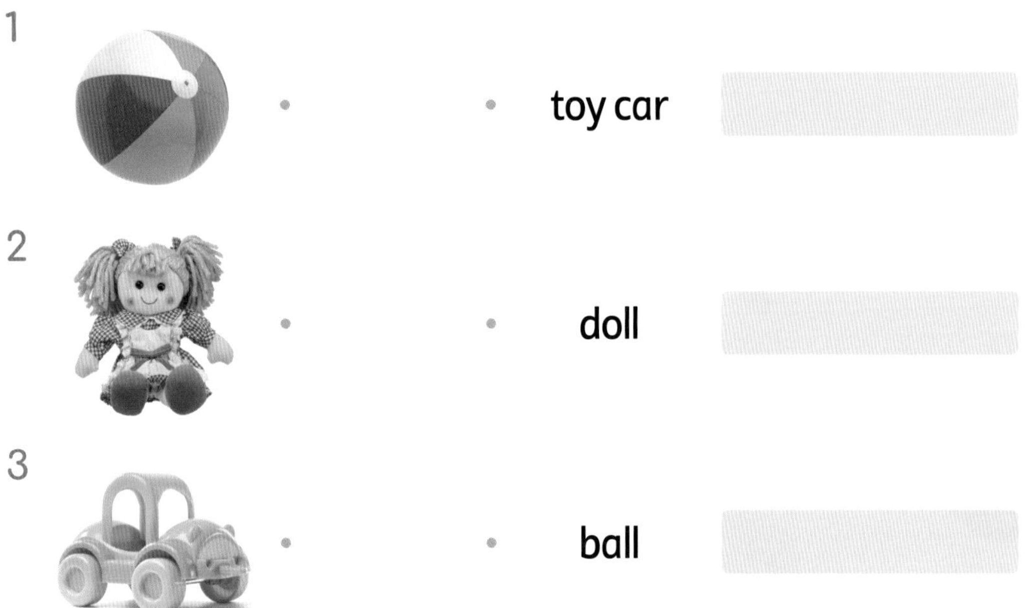

1 • • toy car

2 • • doll

3 • • ball

C 우리말에 맞게 알파벳을 바르게 배열하여 단어를 쓰세요.

1 크레용 ______ (a, c, n, o, r, y)

2 붓 ______ (b, h, r, u, s)

3 스케치북 ______ (b, c, o, e, h, k, s, t, k, o)

4 책 ______ (o, b, k, o)

D 그림을 보고, 빈칸에 알맞은 알파벳을 써서 단어를 완성하세요.

1 bru☐☐

2 ☐☐ll

3 b☐lloo☐

E 우리말에 맞게 알맞은 단어를 써서 문장을 완성하세요.

1 그것은 나의 책이야.

2 그것은 나의 로봇이야.

3 그것은 나의 장난감 자동차야.

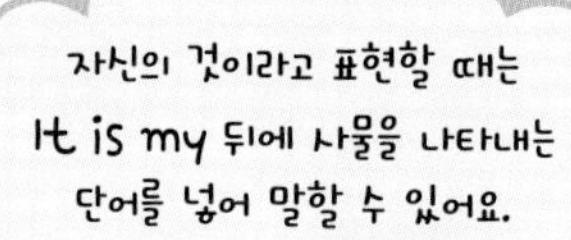

자신의 것이라고 표현할 때는
It is my 뒤에 사물을 나타내는
단어를 넣어 말할 수 있어요.

 오늘의 문장을 읽으며 오늘의 단어를 활용해 보세요.

It is my ball. 그것은 나의 공이야.
crayon 그것은 나의 크레용이야.
sketchbook 그것은 나의 스케치북이야.

DAY **06** 학 교

STEP 1 오늘의 단어를 듣고, 그림에서 찾아 동그라미 하세요.

찾지 못한 단어는 STEP 2에서 확인하세요.

STEP 2 오늘의 단어를 확인하고, 따라 말하세요.

chair 의자

desk 책상

bag 가방

textbook 교과서

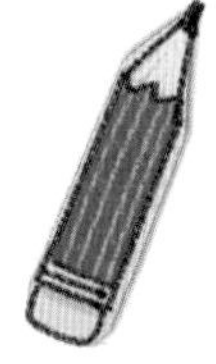

pencil 연필

eraser 지우개

pen 펜

have 가지고 있다

teacher 선생님

student 학생

STEP 3 오늘의 단어를 따라 쓰세요.

chair
의자

desk
책상

bag
가방

textbook
교과서

pencil
연필

eraser
지우개

pen
펜

have
가지고 있다

teacher
선생님

student
학생

DAY 06 Test

A 그림을 보고, 알맞은 단어를 고르세요.

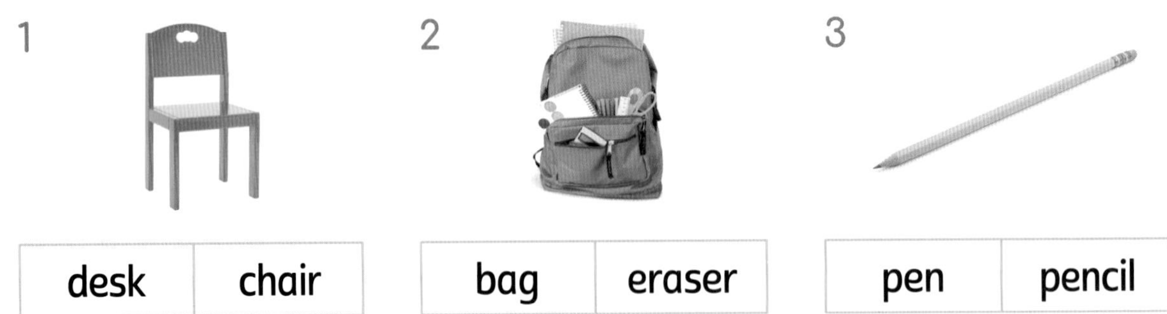

1	
desk	chair

2	
bag	eraser

3	
pen	pencil

B 그림을 보고, 알맞은 단어와 우리말 뜻을 연결하세요.

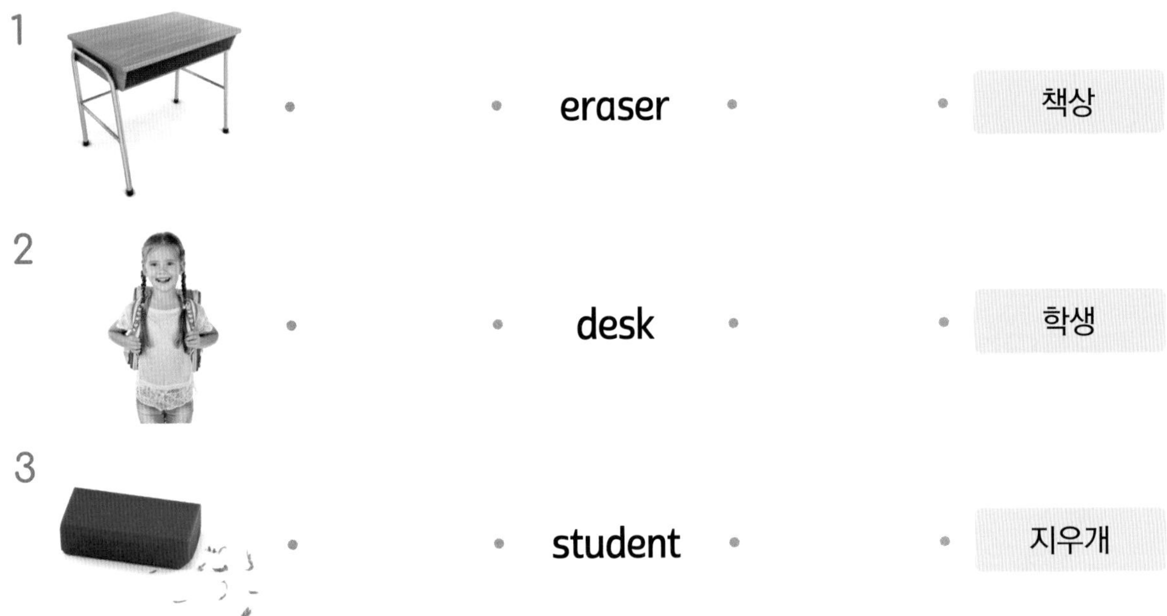

1	eraser	책상
2	desk	학생
3	student	지우개

C 우리말에 맞게 빈칸에 알맞은 알파벳을 써서 단어를 완성하세요.

1 가지고 있다 h ☐ v ☐

2 펜 ☐ e ☐

3 교과서 te ☐ ☐ book

4 선생님 tea ☐ ☐ er

Ⓓ 그림을 보고, 알맞은 단어를 찾아 쓰세요.

1

2

3

보기 chair teacher desk

Ⓔ 우리말에 맞게 알맞은 단어를 써서 문장을 완성하세요.

1 너는 가방을 가지고 있니?

Do you have a ______ ?

2 너는 연필을 가지고 있니?

Do you have a ______ ?

3 너는 지우개를 가지고 있니?

Do you have an ______ ?

어떤 것을 가지고 있는지 물을 때는 Do you have a/an 뒤에 물건 이름을 넣어 말해요. eraser와 같이 첫소리가 /a, e, i, o, u/이면 단어 앞에 an을 넣어요.

 오늘의 문장을 읽으며 오늘의 단어를 활용해 보세요.

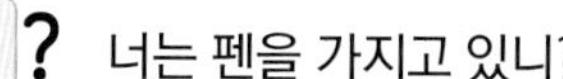

Do you have a pen ? 너는 펜을 가지고 있니?

a textbook 너는 교과서를 가지고 있니?

a skateboard 너는 스케이트보드를 가지고 있니?

DAY 07 숫자

STEP 1 오늘의 단어를 듣고, 그림에서 찾아 동그라미 하세요.

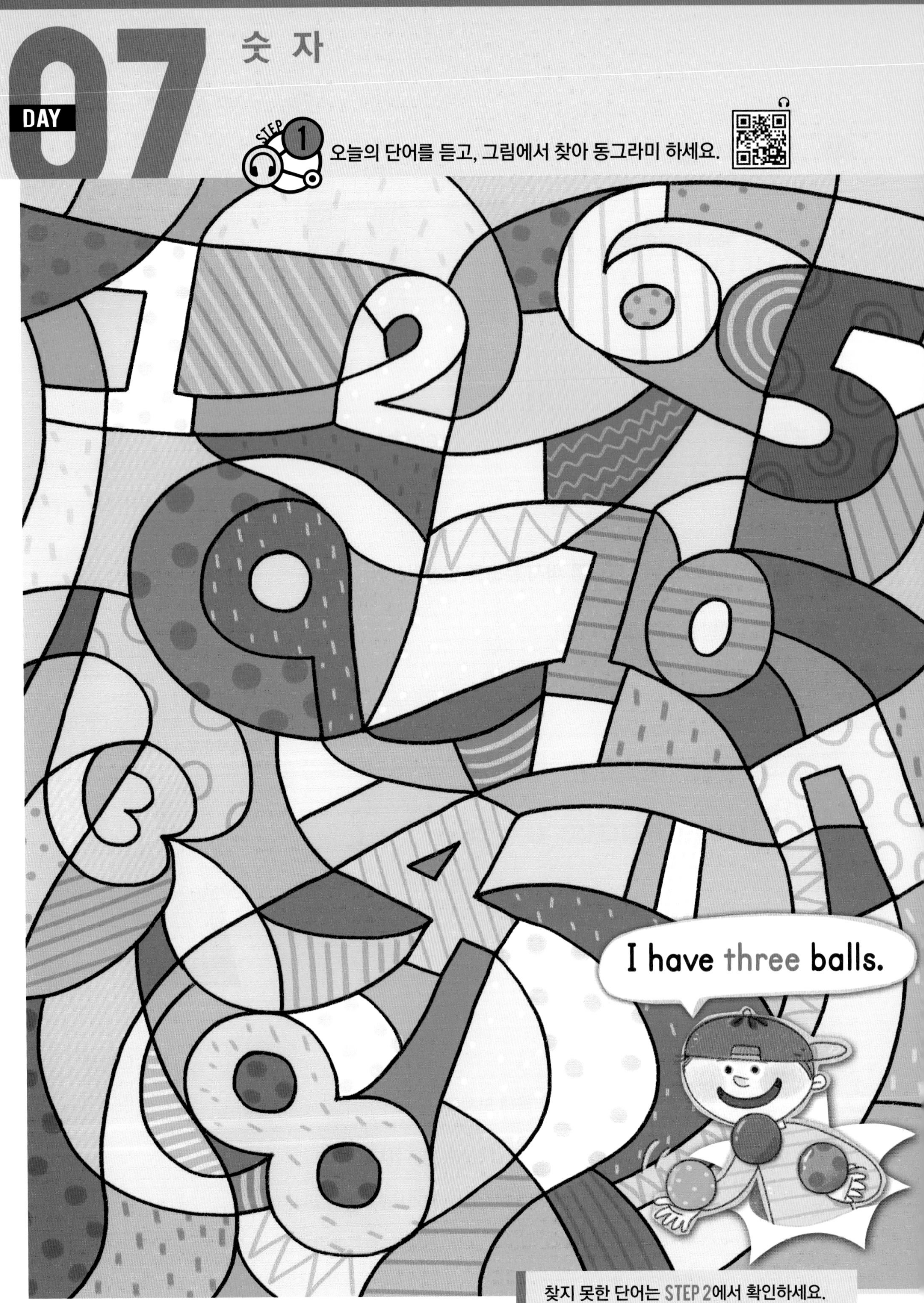

찾지 못한 단어는 STEP 2에서 확인하세요.

오늘의 단어를 확인하고, 따라 말하세요.

one 1, 하나

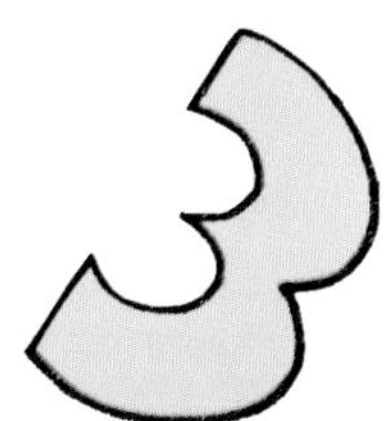

two 2, 둘

three 3, 셋

four 4, 넷

five 5, 다섯

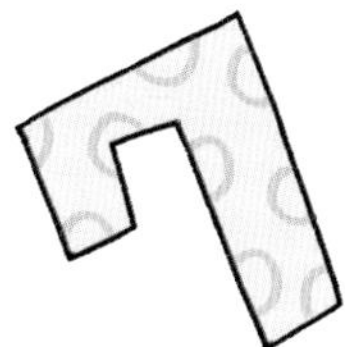

six 6, 여섯

seven 7, 일곱

eight 8, 여덟

nine 9, 아홉

ten 10, 열

오늘의 단어를 따라 쓰세요.

one
1, 하나

two
2, 둘

three
3, 셋

four
4, 넷

five
5, 다섯

six
6, 여섯

seven
7, 일곱

eight
8, 여덟

nine
9, 아홉

ten
10, 열

Ⓐ 그림을 보고, 알맞은 단어를 고르세요.

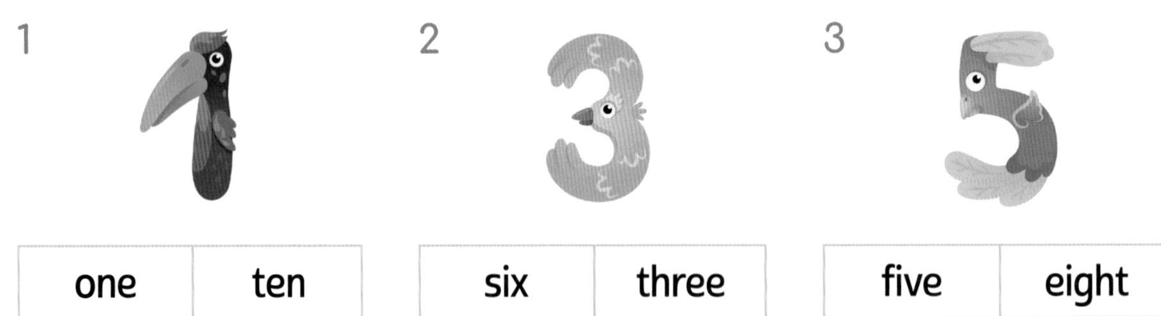

1 one | ten

2 six | three

3 five | eight

Ⓑ 덧셈을 풀고, 알맞은 단어와 우리말 뜻을 연결하세요.

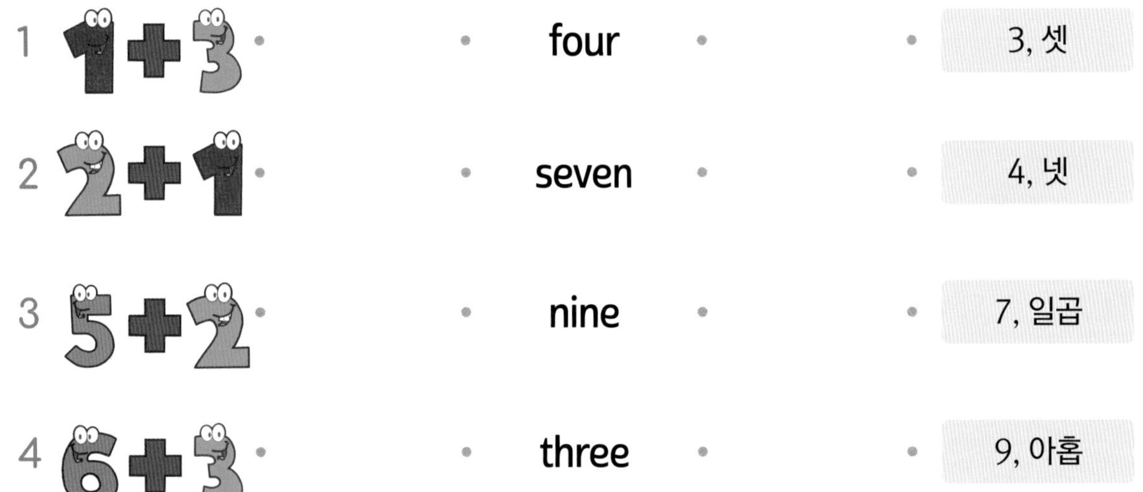

1 1+3 · · four · · 3, 셋

2 2+1 · · seven · · 4, 넷

3 5+2 · · nine · · 7, 일곱

4 6+3 · · three · · 9, 아홉

Ⓒ 우리말에 맞게 빈칸에 알맞은 알파벳을 써서 단어를 완성하세요.

1 2, 둘 t□□

2 6, 여섯 □i□

3 8, 여덟 □□ght

4 10, 열 □□n

정답 194쪽

D 그림을 보고, 동물이 몇 마리인지 알맞은 단어를 찾아 쓰세요.

1 2 3

보기 five seven four

E 우리말에 맞게 알맞은 단어를 써서 문장을 완성하세요.

1 나는 인형 1개를 가지고 있어.

I have ________ doll.

2 나는 책 8권을 가지고 있어.

I have ________ books.

3 나는 고양이 2마리를 가지고 있어.

I have ________ cats.

사람 또는 사물이 둘 이상일 때는 단어 뒤에 -(e)s를 붙여요. 단어 앞에 수를 넣어 개수를 나타낼 수 있어요.

 오늘의 문장을 읽으며 오늘의 단어를 활용해 보세요.

I have three balls. 나는 공 3개를 가지고 있어.

six balloons 나는 풍선 6개를 가지고 있어.

nine rabbits 나는 토끼 9마리를 가지고 있어.

과 일

오늘의 단어를 듣고, 그림에서 찾아 동그라미 하세요.

I like apples.

찾지 못한 단어는 STEP 2에서 확인하세요.

오늘의 단어를 확인하고, 따라 말하세요.

like 좋아하다

apple 사과

orange 오렌지

peach 복숭아

grape 포도

pear 배

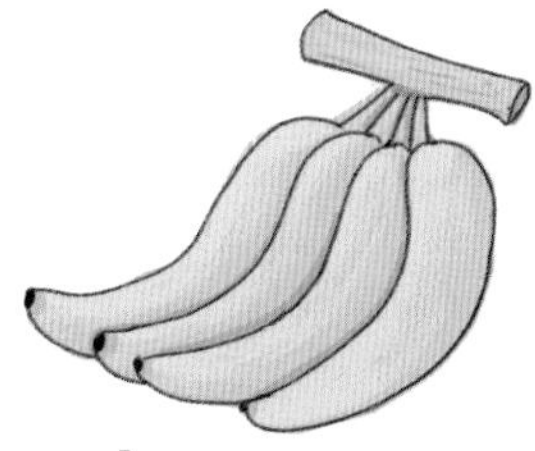
banana 바나나

strawberry 딸기

watermelon 수박

tomato 토마토

오늘의 단어를 따라 쓰세요.

like 좋아하다

apple 사과

orange 오렌지

peach 복숭아

grape 포도

pear 배

banana 바나나

strawberry 딸기

watermelon 수박

tomato 토마토

Ⓐ 그림을 보고, 알맞은 단어를 골라 기호를 쓰세요.

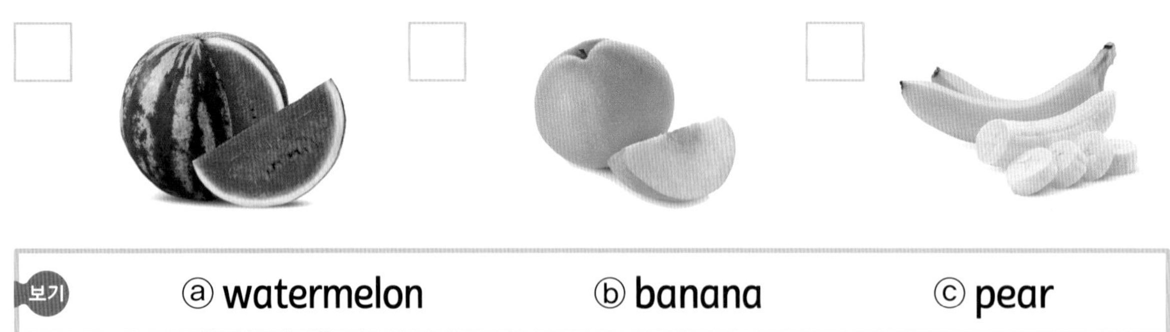

보기 ⓐ watermelon ⓑ banana ⓒ pear

Ⓑ 그림을 보고, 알맞은 단어와 연결한 다음 우리말 뜻을 쓰세요.

1 • • orange

2 • • strawberry

3 • • apple

Ⓒ 우리말에 맞게 알파벳을 바르게 배열하여 단어를 쓰세요.

1 좋아하다 (e, k, l, i)

2 복숭아 (a, c, e, h, p)

3 토마토 (a, m, o, o, t, t)

4 포도 (a, e, g, p, r)

Ⓓ 그림을 보고, 빈칸에 알맞은 알파벳을 써서 단어를 완성하세요.

Ⓔ 우리말에 맞게 알맞은 단어를 써서 문장을 완성하세요.

1 나는 토마토를 좋아해.

2 나는 바나나를 좋아하지 않아.

3 나는 수박을 좋아해.

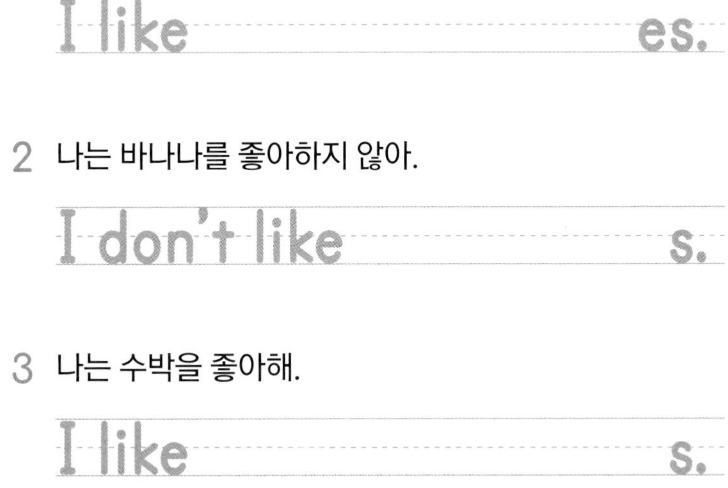

I like es.
I don't like s.
I like s.

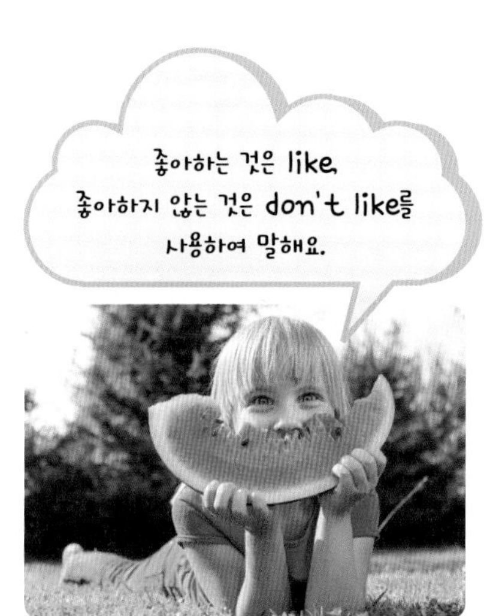

좋아하는 것은 like,
좋아하지 않는 것은 don't like를
사용하여 말해요.

오늘의 문장을 읽으며 오늘의 단어를 활용해 보세요.

I (don't) like apples . 나는 사과를 좋아해(좋아하지 않아).
oranges 나는 오렌지를 좋아해(좋아하지 않아).
peaches 나는 복숭아를 좋아해(좋아하지 않아).

Review Test

A 다음 단어의 우리말 뜻을 쓰세요.

1 apple ______
2 watermelon ______
3 bag ______
4 two ______
5 balloon ______
6 toy car ______
7 banana ______
8 tomato ______
9 book ______
10 three ______
11 brush ______
12 textbook ______
13 chair ______
14 ten ______
15 crayon ______
16 teacher ______
17 desk ______
18 student ______
19 doll ______
20 strawberry ______

B 다음 우리말 뜻에 해당하는 단어를 쓰세요.

1 8, 여덟 ______
2 스케치북 ______
3 지우개 ______
4 스케이트보드 ______
5 5, 다섯 ______
6 6, 여섯 ______
7 4, 넷 ______
8 7, 일곱 ______
9 포도 ______
10 로봇 ______
11 가지고 있다 ______
12 연필 ______
13 좋아하다 ______
14 펜 ______
15 9, 아홉 ______
16 배 ______
17 1, 하나 ______
18 복숭아 ______
19 오렌지 ______
20 공 ______

C 그림을 보고, 알맞은 단어를 골라 문장을 완성하세요.

1  It is my (book / doll).

2  I have (four / five) balls.

3  I like (tomatoes / strawberries).

4  I don't like (oranges / grapes).

5  Do you have a (pencil / desk)?

D 우리말에 맞게 알맞은 단어를 써서 문장을 완성하세요.

1 그것은 나의 풍선이야. It is my ______________.

2 너는 지우개를 가지고 있니? Do you ______________ an ______________?

3 나는 붓을 7개 가지고 있어. I have ______________ brushes.

4 나는 포도를 좋아해. I like ______________s.

5 나는 수박을 좋아하지 않아. I don't ______________ ______________s.

얼 굴

오늘의 단어를 듣고, 그림에서 찾아 동그라미 하세요.

Touch your nose.

찾지 못한 단어는 STEP 2에서 확인하세요.

STEP 2 오늘의 단어를 확인하고, 따라 말하세요.

open
열다, (눈을) 뜨다

close
닫다, (눈을) 감다

touch 만지다

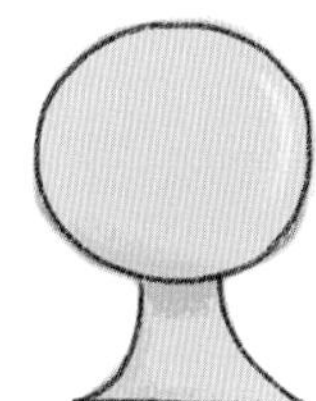
face 얼굴

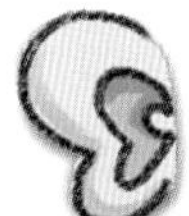
ear 귀

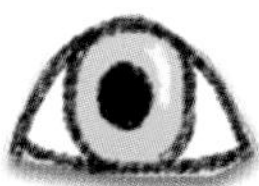
eye 눈

nose 코

mouth 입

hair 머리카락

tooth 치아
둘 이상일 때는 teeth

STEP 3 오늘의 단어를 따라 쓰세요.

open
열다, (눈을) 뜨다

close
닫다, (눈을) 감다

touch
만지다

face
얼굴

ear
귀

eye
눈

nose
코

mouth
입

hair
머리카락

tooth
치아

Ⓐ 그림을 보고, 알맞은 단어를 골라 기호를 쓰세요.

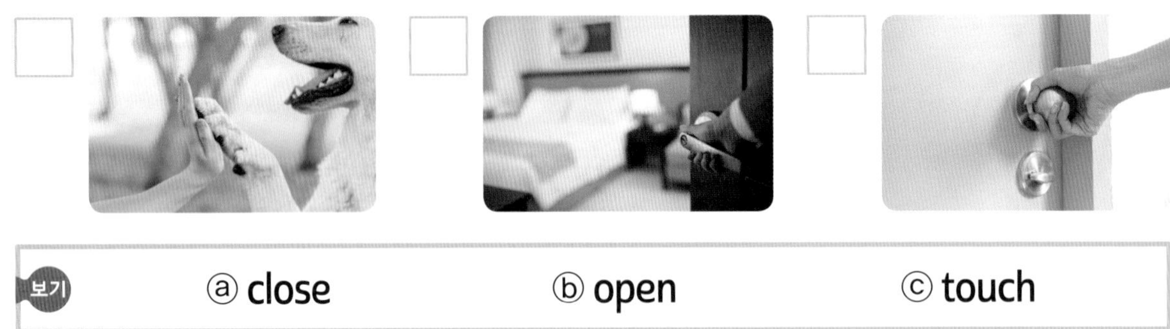

보기 ⓐ close ⓑ open ⓒ touch

Ⓑ 그림을 보고, 알맞은 단어와 연결한 다음 우리말 뜻을 쓰세요.

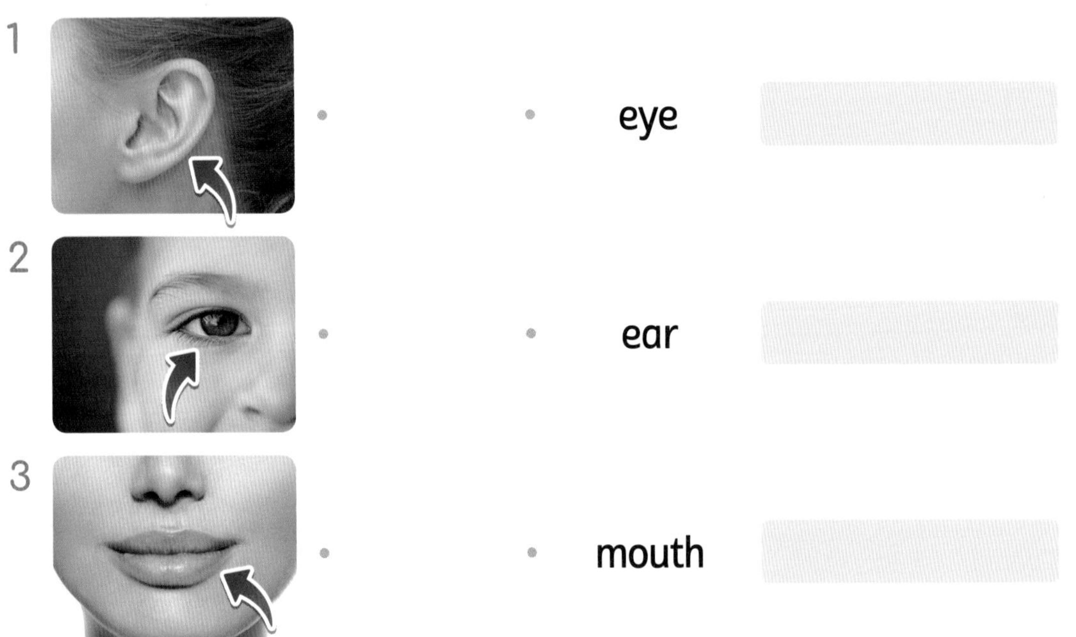

1 • • eye

2 • • ear

3 • • mouth

Ⓒ 우리말에 맞게 알파벳을 바르게 배열하여 단어를 쓰세요.

1 얼굴 (a, c, e, f)

2 머리카락 (a, i, h, r)

3 코 (e, n, s, o)

4 치아 (h, o, t, o, t)

D 그림을 보고, 빈칸에 알맞은 알파벳을 써서 단어를 완성하세요.

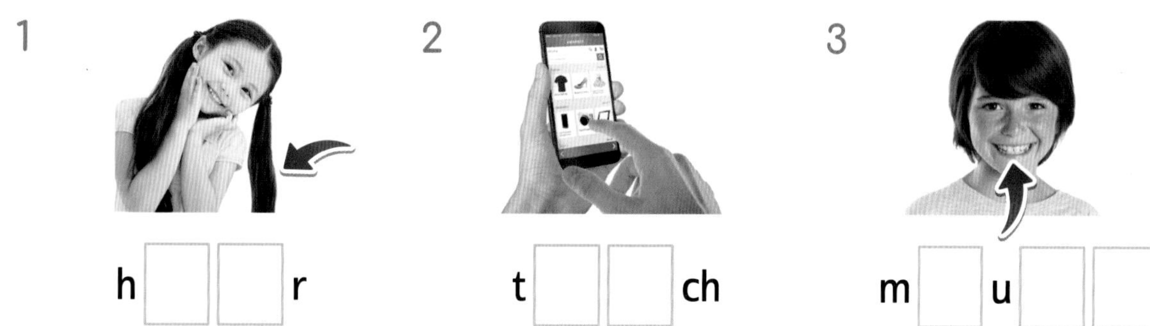

1 h☐☐r

2 t☐☐ch

3 m☐u☐☐

E 우리말에 맞게 알맞은 단어를 써서 문장을 완성하세요.

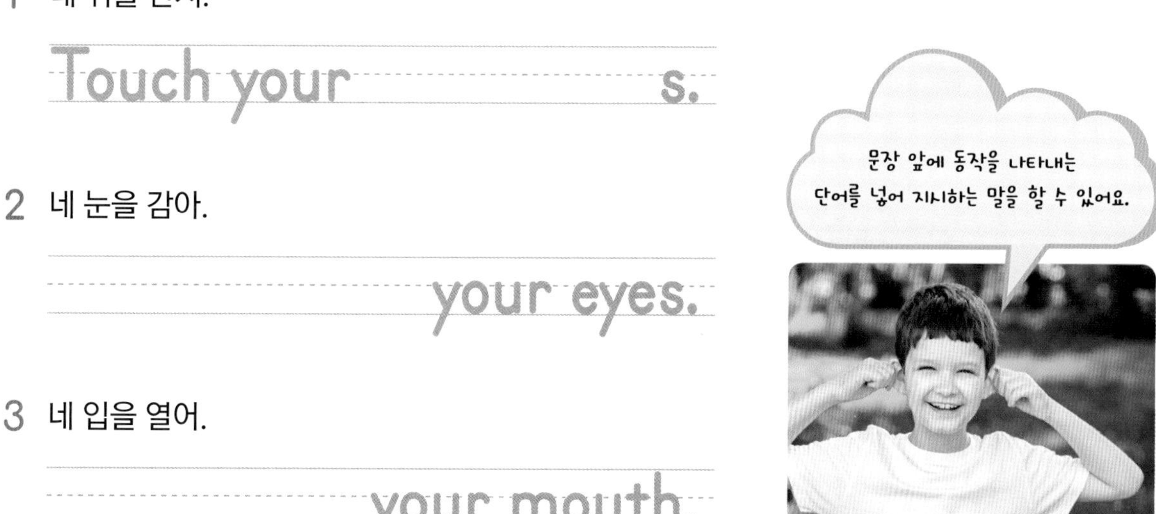

문장 앞에 동작을 나타내는
단어를 넣어 지시하는 말을 할 수 있어요.

1 네 귀를 만져.

Touch your ______s.

2 네 눈을 감아.

______ your eyes.

3 네 입을 열어.

______ your mouth.

오늘의 문장을 읽으며 오늘의 단어를 활용해 보세요.

Touch	your	nose	. 네 코를 만져.
Open		eyes	네 눈을 떠.
Close		mouth	네 입을 닫아.

DAY 10 몸

STEP 1 오늘의 단어를 듣고, 그림에서 찾아 번호를 쓰세요.

찾지 못한 단어는 STEP 2에서 확인하세요.

STEP 2 오늘의 단어를 확인하고, 따라 말하세요.

move 움직이다

head 머리

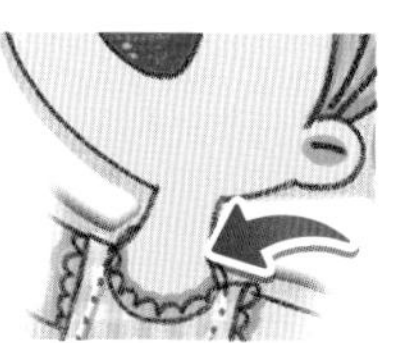

neck 목

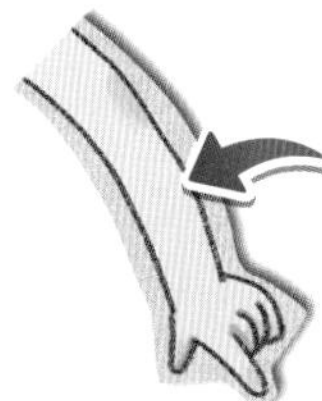

arm 팔

hand 손

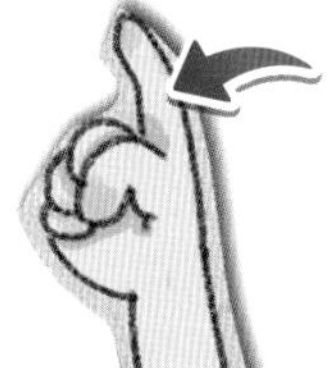

finger 손가락

hip 엉덩이

leg 다리

knee 무릎

foot 발
둘 이상일 때는 feet

STEP 3 오늘의 단어를 따라 쓰세요.

move
움직이다

head
머리

neck
목

arm
팔

hand
손

finger
손가락

hip
엉덩이

leg
다리

knee
무릎

foot
발

DAY 10 Test

Ⓐ 그림을 보고, 알맞은 단어를 고르세요.

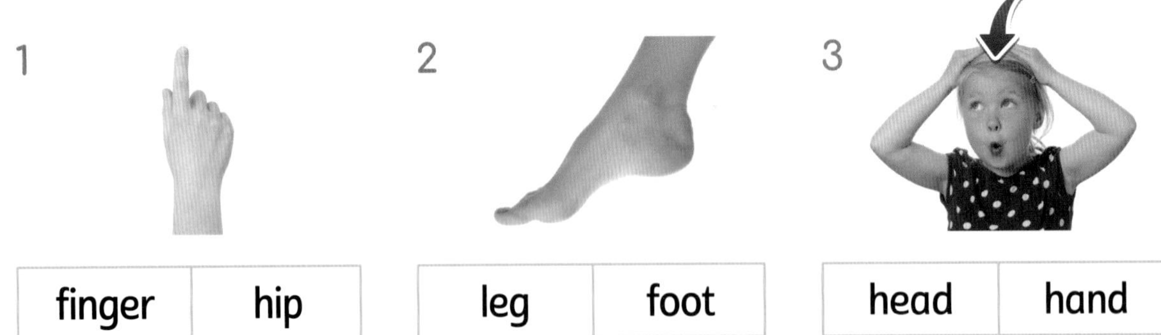

1 | finger | hip

2 | leg | foot

3 | head | hand

Ⓑ 그림을 보고, 알맞은 단어와 우리말 뜻을 연결하세요.

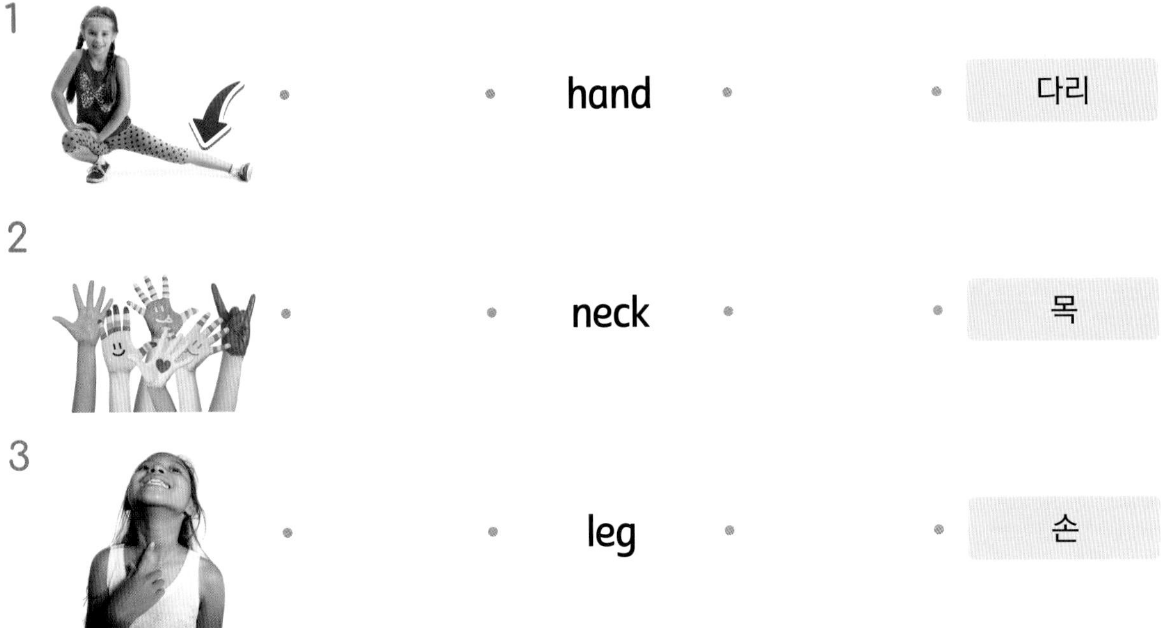

1	hand	다리
2	neck	목
3	leg	손

Ⓒ 우리말에 맞게 빈칸에 알맞은 알파벳을 써서 단어를 완성하세요.

1 움직이다 ☐ o ☐ e

2 엉덩이 ☐ i ☐

3 팔 a ☐ ☐

4 무릎 ☐ ☐ ee

Ⓓ 그림을 보고, 알맞은 단어를 찾아 쓰세요.

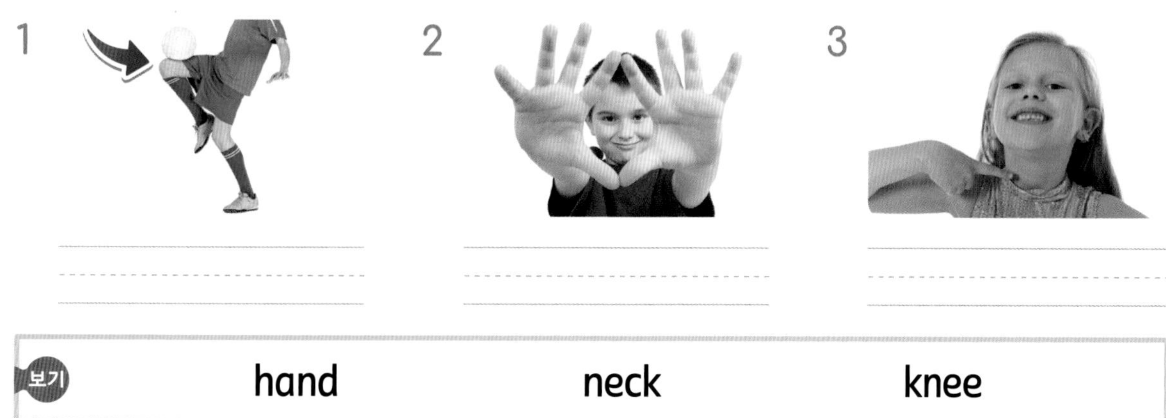

1 ______ 2 ______ 3 ______

보기 hand neck knee

Ⓔ 우리말에 맞게 알맞은 단어를 써서 문장을 완성하세요.

1 네 머리를 움직여.

Move your ______.

2 네 팔을 움직여.

Move your ______s.

3 네 다리를 움직여.

Move your ______s.

몸에서 짝을 이루거나 2개 이상의 부위를 나타내는 단어 뒤에는 -s를 붙여요. 예외로 foot은 2개 이상일 때 feet으로 바뀌어요.

 오늘의 문장을 읽으며 오늘의 단어를 활용해 보세요.

Move your hips. 네 엉덩이를 움직여.
knees 네 무릎을 움직여.
fingers 네 손가락을 움직여.

DAY 11 동물

STEP 1 오늘의 단어를 듣고, 그림에서 찾아 동그라미 하세요.

찾지 못한 단어는 STEP 2에서 확인하세요.

A: What is it?
B: It is an elephant.

오늘의 단어를 확인하고, 따라 말하세요.

look 보다

bear 곰

dolphin 돌고래

elephant 코끼리

fox 여우

giraffe 기린

lion 사자

monkey 원숭이

zebra 얼룩말

zoo 동물원

오늘의 단어를 따라 쓰세요.

look
보다

bear
곰

dolphin
돌고래

elephant
코끼리

fox
여우

giraffe
기린

lion
사자

monkey
원숭이

zebra
얼룩말

zoo
동물원

A 그림을 보고, 알맞은 단어를 골라 기호를 쓰세요.

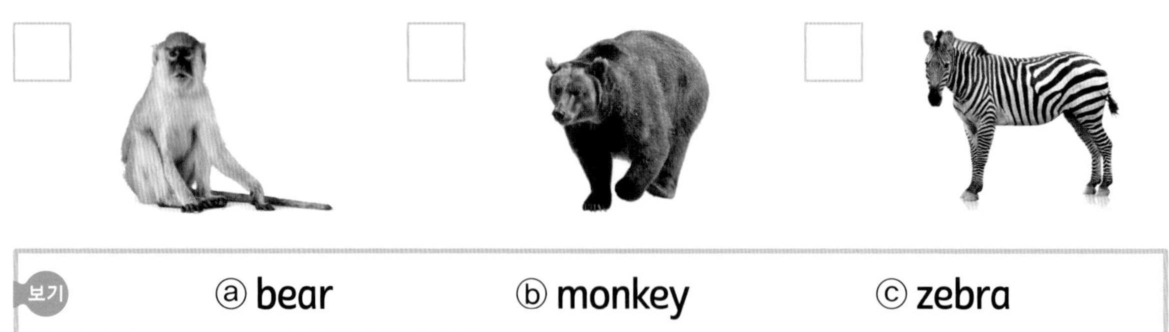

보기 ⓐ bear ⓑ monkey ⓒ zebra

B 그림을 보고, 알맞은 단어와 연결한 다음 우리말 뜻을 쓰세요.

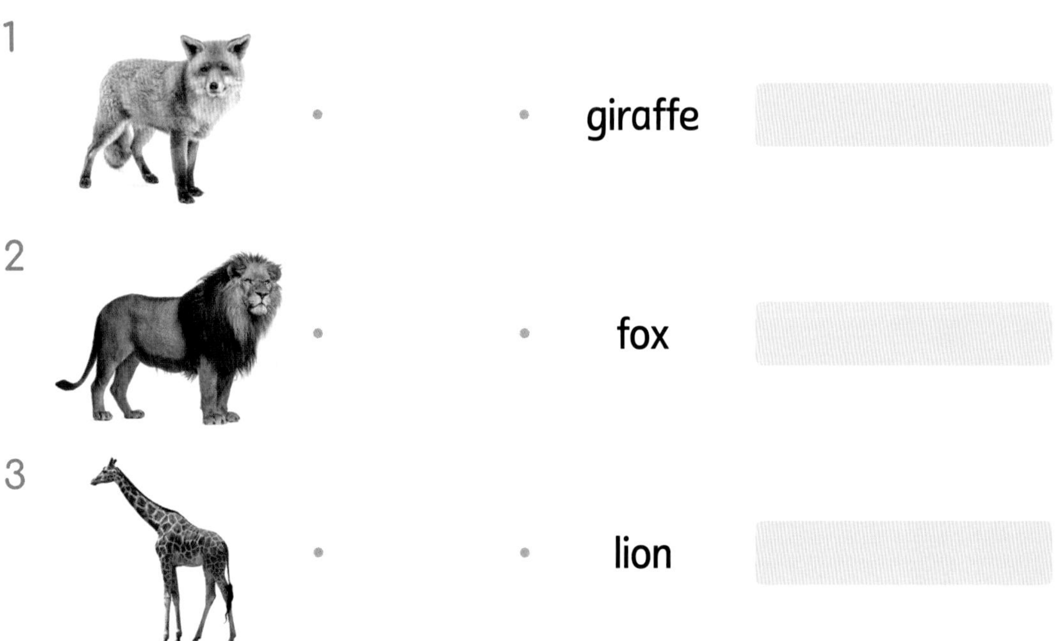

1 • • giraffe

2 • • fox

3 • • lion

C 우리말에 맞게 알파벳을 바르게 배열하여 단어를 쓰세요.

1 동물원 (o, o, z)

2 보다 (o, k, o, l)

3 돌고래 (d, h, i, l, n, o, p)

4 코끼리 (a, e, h, e, l, t, n, p)

D 그림을 보고, 빈칸에 알맞은 알파벳을 써서 단어를 완성하세요.

1 ele ☐ ☐ ant

2 gira ☐ ☐ e

3 ☐ onk ☐ ☐

E 우리말에 맞게 알맞은 단어를 써서 문장을 완성하세요.

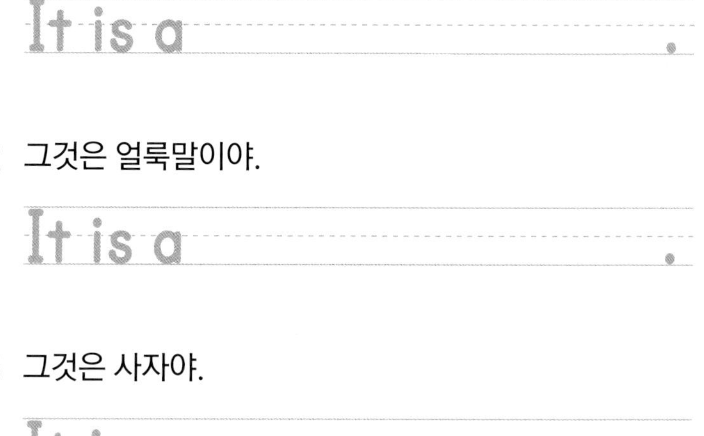

1 그것은 돌고래야.

It is a ________________.

2 그것은 얼룩말이야.

It is a ________________.

3 그것은 사자야.

It is a ________________.

사물이 무엇인지 물어볼 때는 What is it?이라고 하고, 대답은 It is a /an 뒤에 사물을 나타내는 단어를 넣어 말해요.

오늘의 문장을 읽으며 오늘의 단어를 활용해 보세요.

A: What is it? 그것은 무엇이니?

B: It is an elephant. 그것은 코끼리야.

a bear 그것은 곰이야.

a fox 그것은 여우야.

12 자 연

STEP 1 오늘의 단어를 듣고, 그림에서 찾아 동그라미 하세요.

Look at the stars.

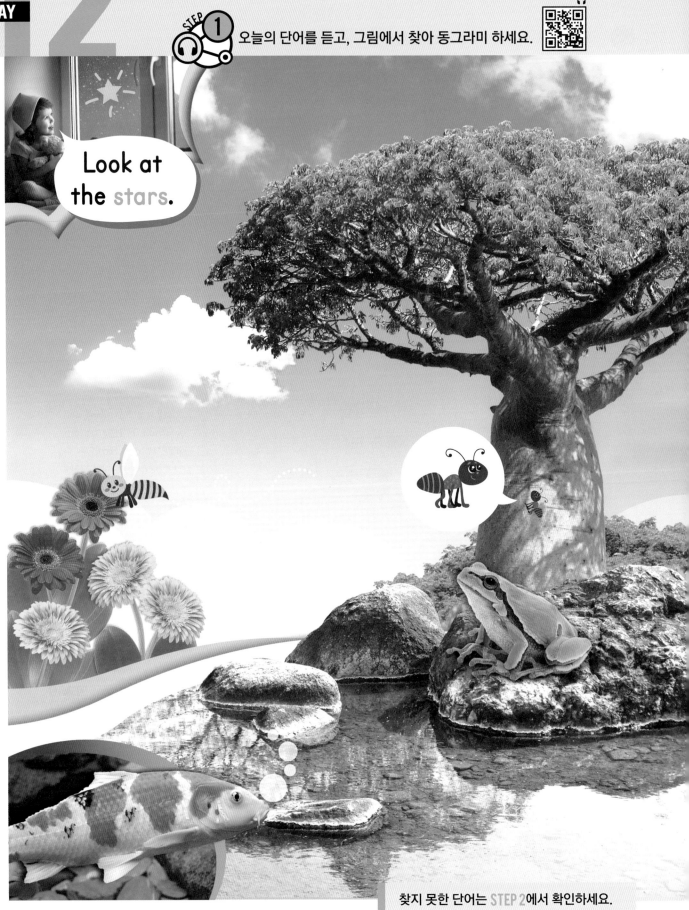

찾지 못한 단어는 STEP 2에서 확인하세요.

STEP 2 오늘의 단어를 확인하고, 따라 말하세요.

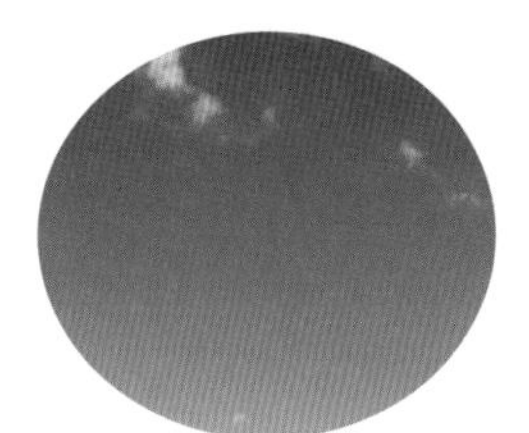
sky 하늘

star 별

cloud 구름

flower 꽃

tree 나무

rock 바위

ant 개미

fish 물고기

bee 벌

frog 개구리

STEP 3 오늘의 단어를 따라 쓰세요.

sky 하늘

star 별

cloud 구름

flower 꽃

tree 나무

rock 바위

ant 개미

fish 물고기

bee 벌

frog 개구리

Ⓐ 그림을 보고, 알맞은 단어를 고르세요.

1		2		3	
star	sky	fish	flower	ant	bee

Ⓑ 그림을 보고, 알맞은 단어와 우리말 뜻을 연결하세요.

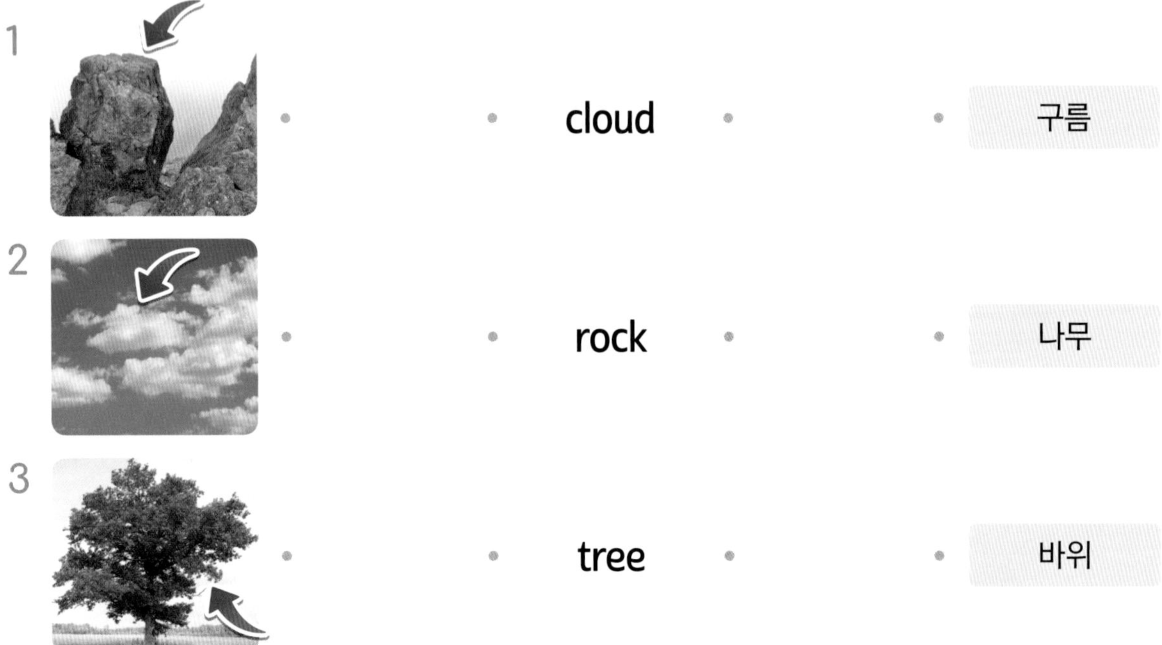

	영어	우리말
1	cloud	구름
2	rock	나무
3	tree	바위

Ⓒ 우리말에 맞게 빈칸에 알맞은 알파벳을 써서 단어를 완성하세요.

1 별 □□ar

2 물고기 fi□□

3 벌 b□□

4 개구리 □□og

D 그림을 보고, 알맞은 단어를 찾아 쓰세요.

1 2 3

보기 frog rock ant

E 우리말에 맞게 알맞은 단어를 써서 문장을 완성하세요.

1 물고기를 봐.

2 벌을 봐.

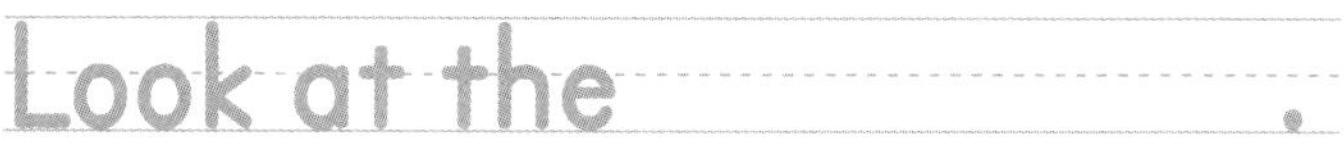

3 꽃들을 봐.

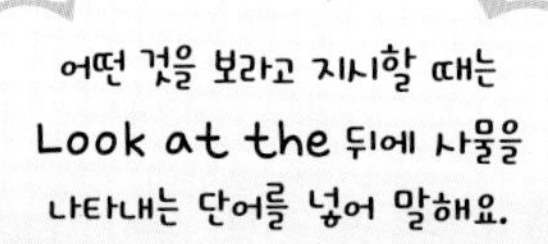

어떤 것을 보라고 지시할 때는
Look at the 뒤에 사물을
나타내는 단어를 넣어 말해요.

 오늘의 문장을 읽으며 오늘의 단어를 활용해 보세요. 

Look at the stars. 별들을 봐.
tree 나무를 봐.
cloud 구름을 봐.

Review Test

A 다음 단어의 우리말 뜻을 쓰세요.

1 open ____________
2 move ____________
3 look ____________
4 sky ____________
5 close ____________
6 frog ____________
7 hip ____________
8 bear ____________
9 star ____________
10 touch ____________
11 finger ____________
12 dolphin ____________
13 cloud ____________
14 face ____________
15 foot ____________
16 elephant ____________
17 flower ____________
18 ear ____________
19 arm ____________
20 fox ____________

B 다음 우리말 뜻에 해당하는 단어를 쓰세요.

1 개미 ____________
2 눈 ____________
3 손 ____________
4 기린 ____________
5 물고기 ____________
6 머리카락 ____________
7 머리 ____________
8 사자 ____________
9 나무 ____________
10 입 ____________
11 다리 ____________
12 원숭이 ____________
13 바위 ____________
14 코 ____________
15 목 ____________
16 얼룩말 ____________
17 벌 ____________
18 치아 ____________
19 무릎 ____________
20 동물원 ____________

C 그림을 보고, 알맞은 단어를 골라 문장을 완성하세요.

1 

Touch your (nose / neck).

2 

Open your (arms / eyes).

3 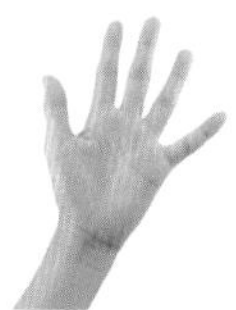

Move your (hand / head).

4 

Look at the (frog / fish).

5 

It is a (giraffe / zebra).

D 우리말에 맞게 알맞은 단어를 써서 문장을 완성하세요.

1 네 귀를 만져. ________ your ________s.

2 네 입을 닫아. ________ your ________.

3 그것은 무엇이니? - 그것은 코끼리야. What is it? - It is an ________.

4 네 손가락을 움직여. ________ your ________s.

5 나무를 봐. ________ at the ________.

DAY 13 교통수단

오늘의 단어를 듣고, 비행길을 따라가세요.

Take **an** airplane.

TAXI

찾지 못한 단어는 STEP 2에서 확인하세요.

 오늘의 문장 Take an airplane.

STEP 2 오늘의 단어를 확인하고, 따라 말하세요.

take 타다

car 자동차

airplane 비행기

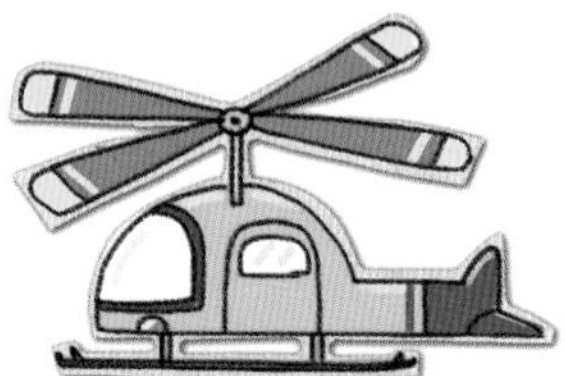

helicopter 헬리콥터

boat 보트

ship 배

train 기차

subway 지하철

bus 버스

taxi 택시

STEP 3 오늘의 단어를 따라 쓰세요.

take
타다

car
자동차

airplane
비행기

helicopter
헬리콥터

boat
보트

ship
배

train
기차

subway
지하철

bus
버스

taxi
택시

Ⓐ 그림을 보고, 알맞은 단어를 고르세요.

1 

airplane	subway

2 

train	ship

3 

car	taxi

Ⓑ 그림을 보고, 알맞은 단어와 우리말 뜻을 연결하세요.

1  • • bus • • 헬리콥터

2  • • boat • • 보트

3  • • helicopter • • 버스

Ⓒ 우리말에 맞게 빈칸에 알맞은 알파벳을 써서 단어를 완성하세요.

1 타다 t ☐ k ☐

2 기차 ☐ ☐ ain

3 택시 t ☐ x ☐

4 지하철 su ☐ ☐ ay

정답 197쪽

D 그림을 보고, 알맞은 단어를 찾아 쓰세요.

1 2 3

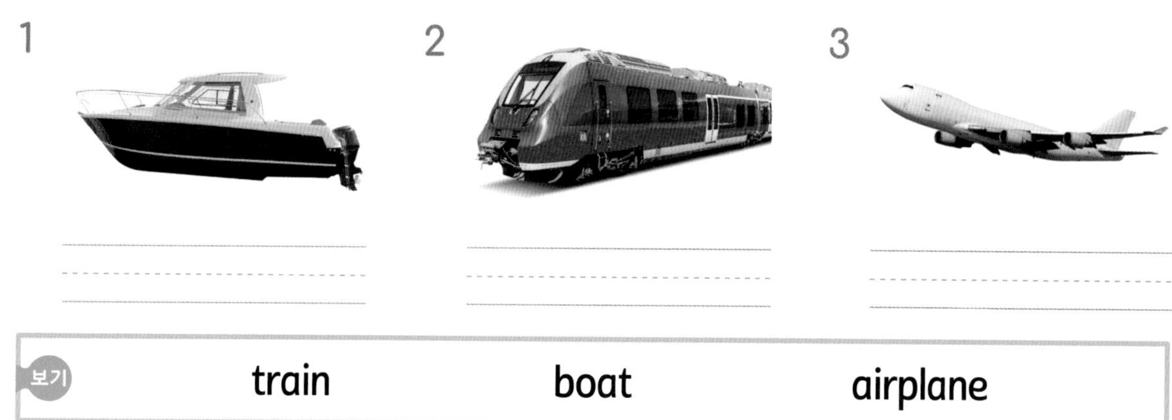

보기 train boat airplane

E 우리말에 맞게 알맞은 단어를 써서 문장을 완성하세요.

1 택시를 타.

Take a ________.

2 지하철을 타.

Take a ________.

3 자동차를 타.

Take a ________.

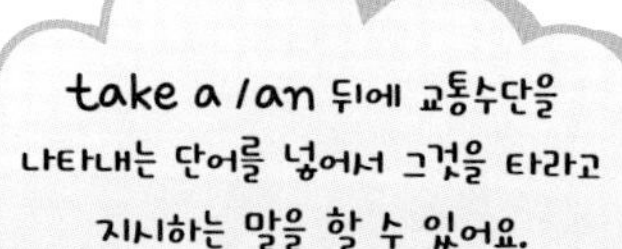

take a / an 뒤에 교통수단을
나타내는 단어를 넣어서 그것을 타라고
지시하는 말을 할 수 있어요.

오늘의 문장을 읽으며 오늘의 단어를 활용해 보세요.

Take an airplane. 비행기를 타.

a ship 배를 타.

a bus 버스를 타.

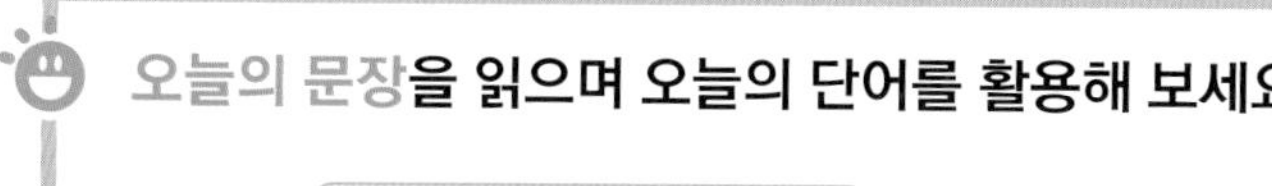

DAY 14 반대말 1

STEP 1 오늘의 단어를 듣고, 그림에서 찾아 동그라미 하세요.

It is a big elephant.
12:45

찾지 못한 단어는 STEP 2에서 확인하세요.

STEP 2 오늘의 단어를 확인하고, 따라 말하세요.

big 큰

small 작은

clean 깨끗한

dirty 더러운

new 새로운

old 오래된, 나이가 든

long 긴

short 짧은

slow 느린

fast 빠른

STEP 3 오늘의 단어를 따라 쓰세요.

big
큰

small
작은

clean
깨끗한

dirty
더러운

new
새로운

old
오래된, 나이가 든

long
긴

short
짧은

slow
느린

fast
빠른

Ⓐ 그림을 보고, 알맞은 단어를 골라 기호를 쓰세요.

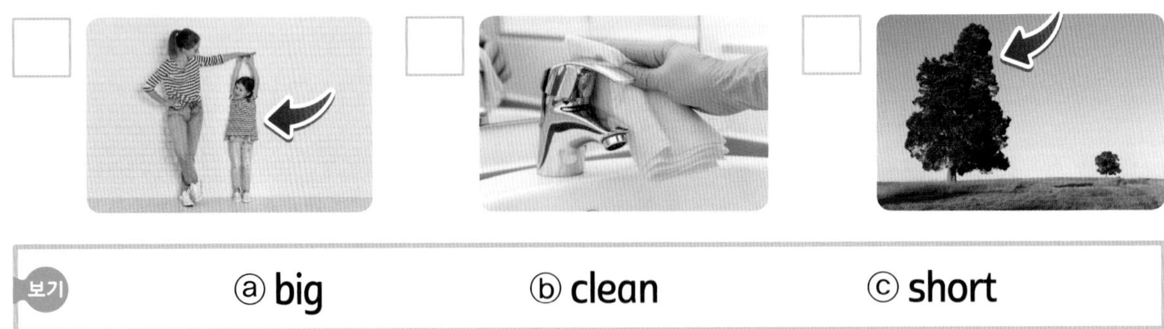

보기 ⓐ big ⓑ clean ⓒ short

Ⓑ 단어를 읽고, 반대말끼리 연결하세요.

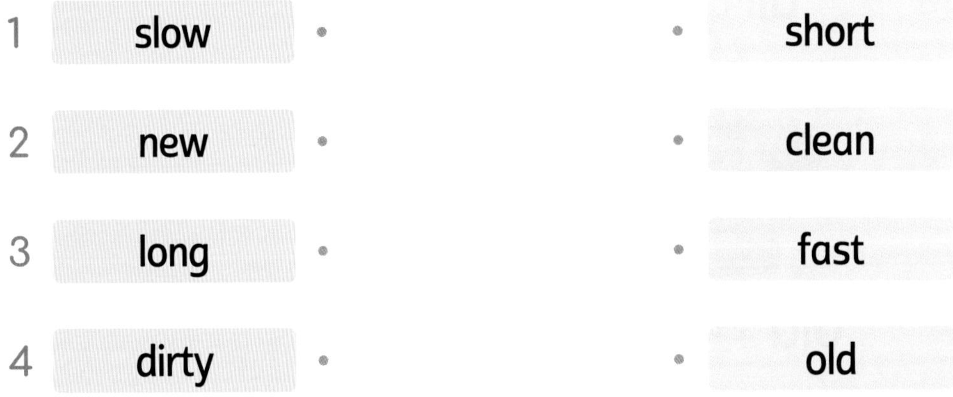

1	slow	•	• short
2	new	•	• clean
3	long	•	• fast
4	dirty	•	• old

Ⓒ 우리말에 맞게 알파벳을 바르게 배열하여 단어를 쓰세요.

1 작은 ______ (a, l, m, l, s)

2 빠른 ______ (t, f, s, a)

3 더러운 ______ (i, y, r, t, d)

4 새로운 ______ (e, w, n)

5 깨끗한 ______ (a, c, e, l, n)

6 오래된 ______ (d, o, l)

정답 197쪽

D 그림을 보고, 빈칸에 알맞은 알파벳을 써서 단어를 완성하세요.

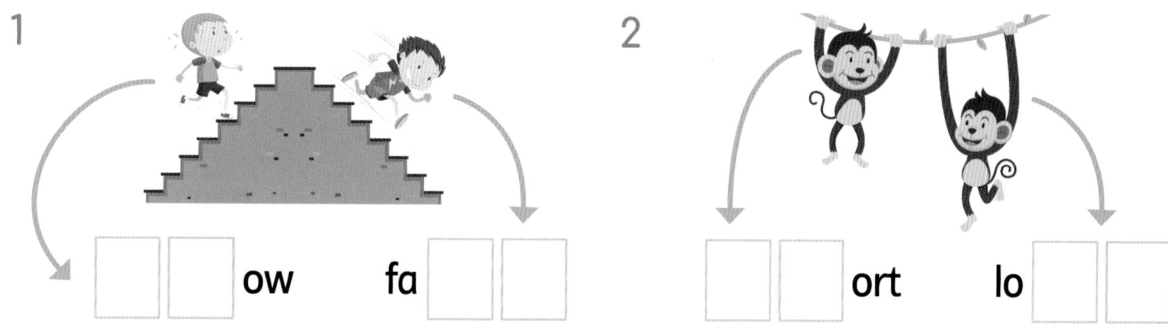

1 ☐☐ow fa☐☐

2 ☐☐ort lo☐☐

E 우리말에 맞게 알맞은 단어를 써서 문장을 완성하세요.

1 그것은 새 자동차야.

It is a ________ car.

2 그것은 오래된 책이야.

It is an ________ book.

3 그것은 깨끗한 사과야.

It is a ________ apple.

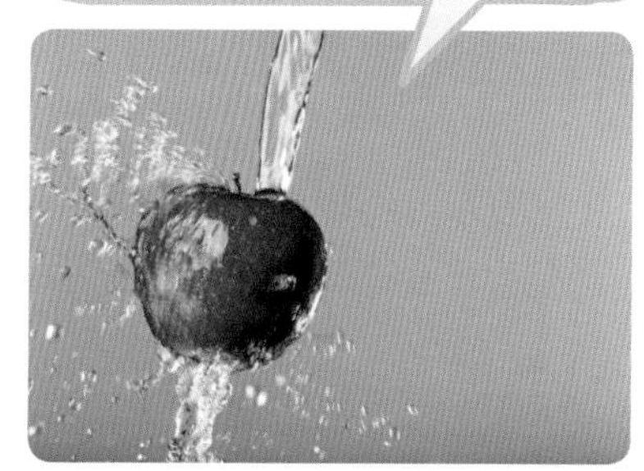

big elephant(큰 코끼리)와 같이 사람 또는 사물을 나타내는 단어 앞에 꾸며주는 단어, 형용사가 와서 모양 또는 상태를 꾸며 줄 수 있어요.

 오늘의 문장을 읽으며 오늘의 단어를 활용해 보세요.

It is a big elephant. 그것은 큰 코끼리야.

small 그것은 작은 코끼리야.

slow 그것은 느린 코끼리야.

DAY 15 동작과 능력

STEP 1 오늘의 단어를 듣고, 그림에서 찾아 동그라미 하세요.

I can swim.

찾지 못한 단어는 STEP 2에서 확인하세요.

STEP 2 오늘의 단어를 확인하고, 따라 말하세요.

swim 수영하다

sing 노래하다

dance 춤추다

ski 스키 타다

skate 스케이트 타다

fly 날다

climb 오르다

write 쓰다

run 달리다

jump 점프하다

STEP 3 오늘의 단어를 따라 쓰세요.

swim
수영하다

sing
노래하다

dance
춤추다

ski
스키 타다

skate
스케이트 타다

fly
날다

climb
오르다

write
쓰다

run
달리다

jump
점프하다

Ⓐ 그림을 보고, 알맞은 단어를 고르세요.

1		2		3	
swim	ski	jump	climb	fly	run

Ⓑ 그림을 보고, 알맞은 단어와 우리말 뜻을 연결하세요.

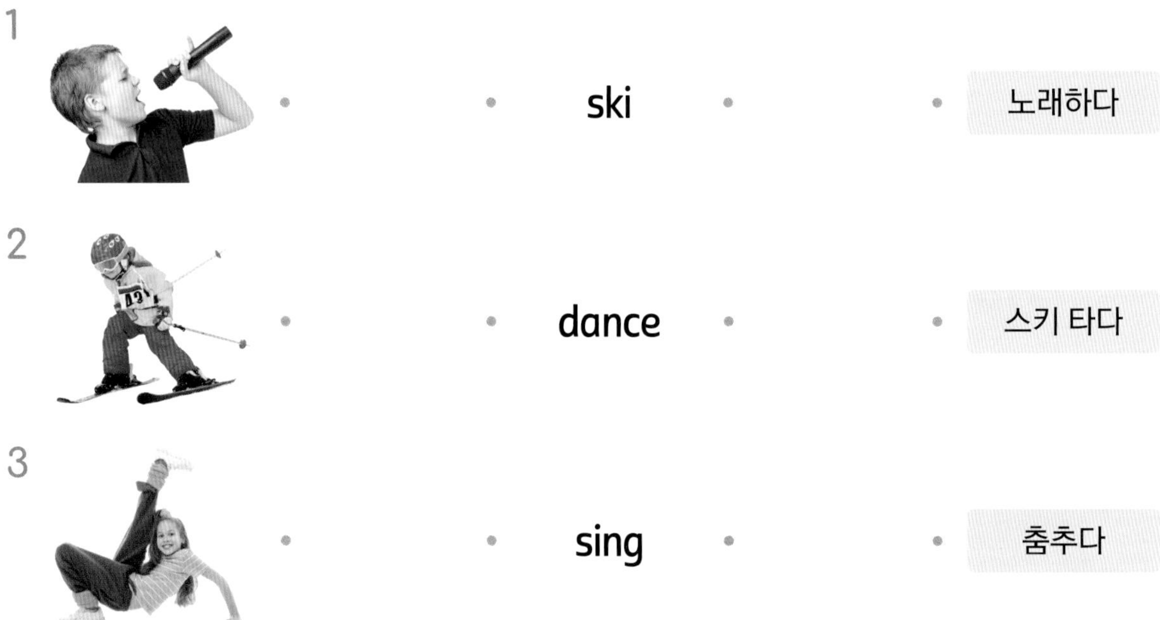

1	ski	노래하다
2	dance	스키 타다
3	sing	춤추다

Ⓒ 우리말에 맞게 빈칸에 알맞은 알파벳을 써서 단어를 완성하세요.

1 스케이트 타다 ☐☐ate

2 날다 ☐☐y

3 오르다 ☐lim☐

4 쓰다 ☐ri☐e

Ⓓ 그림을 보고, 알맞은 단어를 찾아 쓰세요.

보기 fly skate dance

Ⓔ 우리말에 맞게 알맞은 단어를 써서 문장을 완성하세요.

1 나는 쓸 수 있어.

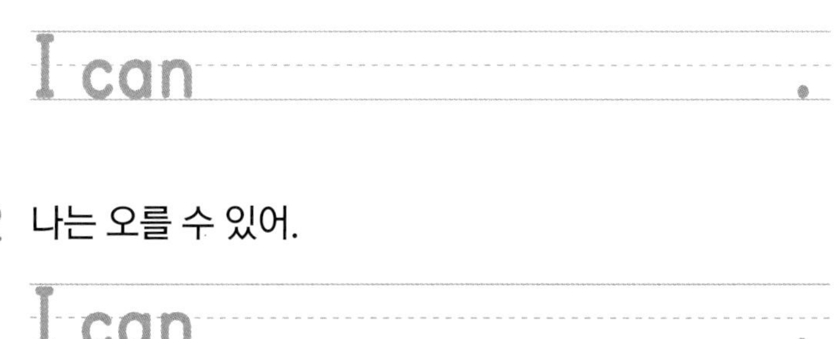

2 나는 오를 수 있어.

I can .

3 나는 달릴 수 없어.

can 뒤에 동작을 나타내는
단어를 넣어 능력을 표현하는 말을 할 수 있어요.
할 수 있을 때는 I can ~.이라고 말하고,
할 수 없을 때는 I can't ~.라고 말해요.

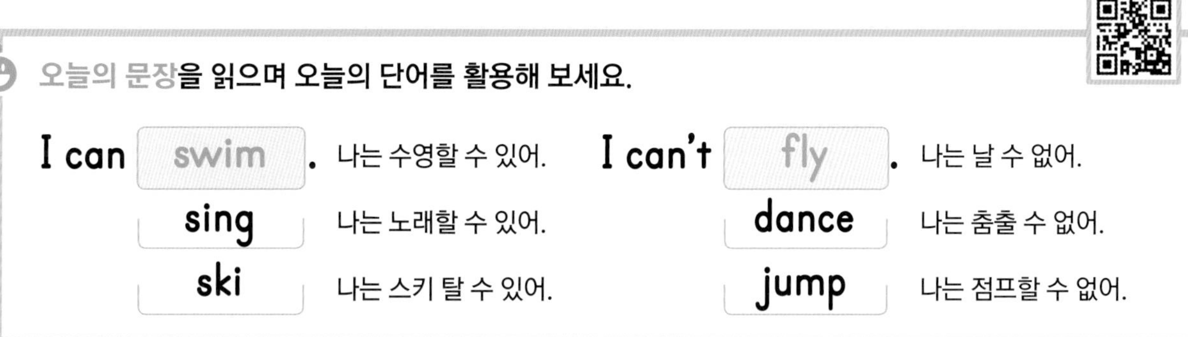

오늘의 문장을 읽으며 오늘의 단어를 활용해 보세요.

I can	swim.	나는 수영할 수 있어.	I can't	fly.	나는 날 수 없어.
	sing	나는 노래할 수 있어.		dance	나는 춤출 수 없어.
	ski	나는 스키 탈 수 있어.		jump	나는 점프할 수 없어.

DAY 16 제 안 하 기

STEP 1 오늘의 단어를 듣고, 그림에서 찾아 동그라미 하세요.

찾지 못한 단어는 STEP 2에서 확인하세요.

STEP 2 오늘의 단어를 확인하고, 따라 말하세요.

ride 타다

bike 자전거

go 가다

concert 콘서트

make 만들다

pizza 피자

paint 칠하다

picture 그림

walk 걷다, 산책하다

together 함께, 같이

STEP 3 오늘의 단어를 따라 쓰세요.

ride 타다

bike 자전거

go 가다

concert 콘서트

make 만들다

pizza 피자

paint 칠하다

picture 그림

walk 걷다, 산책하다

together 함께, 같이

A 그림을 보고, 알맞은 단어를 골라 기호를 쓰세요.

보기 ⓐ make ⓑ paint ⓒ ride

B 그림을 보고, 알맞은 단어와 연결한 다음 우리말 뜻을 쓰세요.

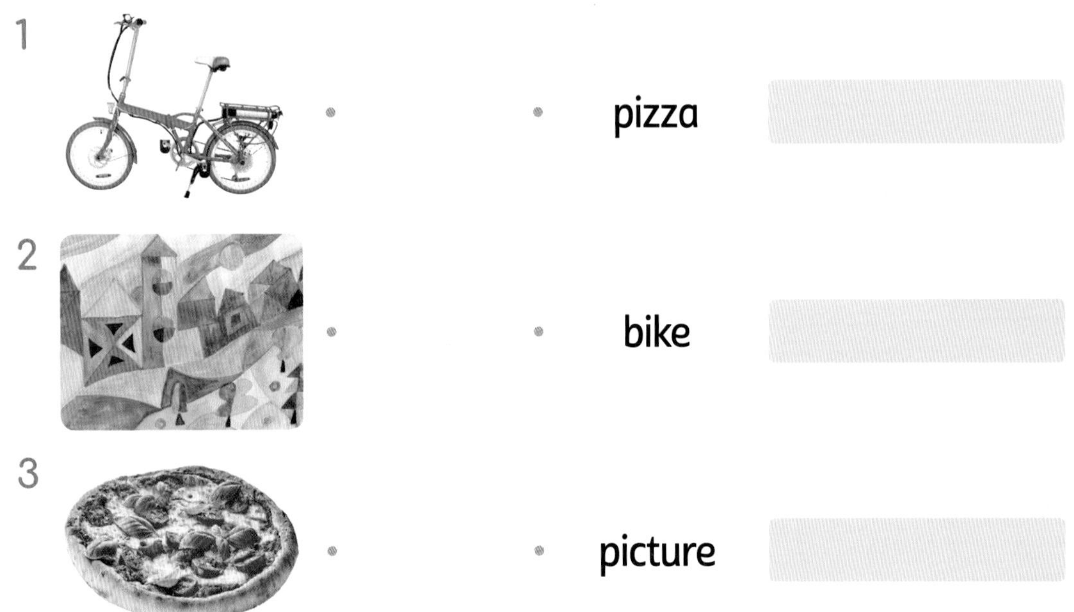

1 • • pizza

2 • • bike

3 • • picture

C 우리말에 맞게 알파벳을 바르게 배열하여 단어를 쓰세요.

1 가다 ______ (o, g)

2 산책하다 ______ (a, k, l, w)

3 콘서트 ______ (c, e, n, o, r, t, c)

4 함께 ______ (e, e, g, h, t, t, o, r)

D 그림을 보고, 빈칸에 알맞은 알파벳을 써서 단어를 완성하세요.

1 pict __ __ e

2 wa __ __

3 __ i __ __

E 우리말에 맞게 알맞은 단어를 써서 문장을 완성하세요.

1 같이 걷자.

Let's ______ together.

2 피자를 만들자.

Let's ______ a pizza.

3 그림을 칠하자.

Let's ______ a picture.

Let's 뒤에 동작을 나타내는
말을 넣어 어떤 동작을 같이 하자고
제안하는 말을 할 수 있어요.

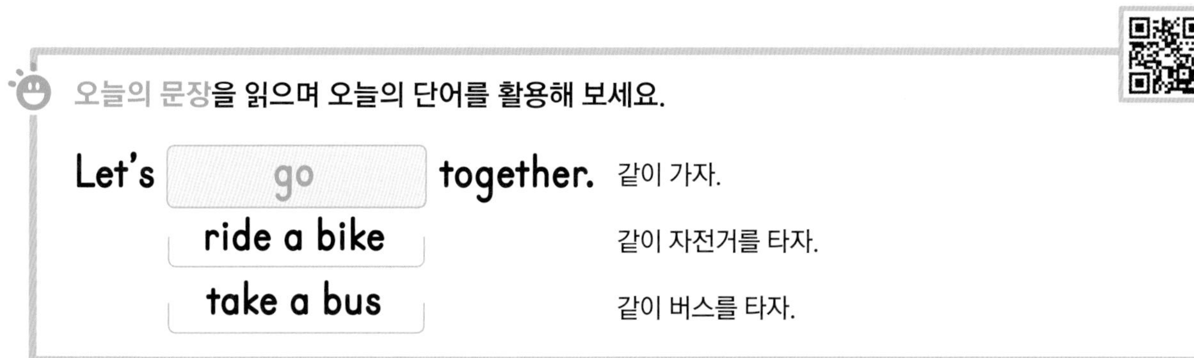

오늘의 문장을 읽으며 오늘의 단어를 활용해 보세요.

Let's go together. 같이 가자.

ride a bike 같이 자전거를 타자.

take a bus 같이 버스를 타자.

Review Test

A 다음 단어의 우리말 뜻을 쓰세요.

1 airplane ________
2 big ________
3 swim ________
4 ride ________
5 boat ________
6 small ________
7 sing ________
8 go ________
9 car ________
10 clean ________
11 take ________
12 paint ________
13 helicopter ________
14 dirty ________
15 ski ________
16 make ________
17 ship ________
18 new ________
19 skate ________
20 concert ________

B 다음 우리말 뜻에 해당하는 단어를 쓰세요.

1 지하철 ________
2 오래된, 나이가 든 ________
3 날다 ________
4 피자 ________
5 기차 ________
6 긴 ________
7 오르다 ________
8 걷다 ________
9 버스 ________
10 짧은 ________
11 쓰다 ________
12 그림 ________
13 택시 ________
14 느린 ________
15 달리다 ________
16 자전거 ________
17 춤추다 ________
18 빠른 ________
19 점프하다 ________
20 함께, 같이 ________

C 그림을 보고, 알맞은 단어를 골라 문장을 완성하세요.

1 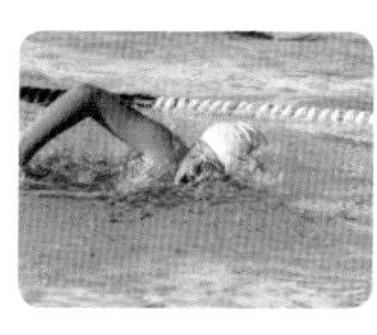

I can (sing / swim).

2 

Take a (train / taxi).

3 

It is a (big / small) dog.

4 

It is a (long / short) pencil.

5 

Let's (ride / make) a bike.

D 우리말에 맞게 알맞은 단어를 써서 문장을 완성하세요.

1 나는 달릴 수 있어. I can ________.

2 나는 날 수 없어. I can't ________.

3 지하철을 타. ________ a ________.

4 같이 그림을 칠하자. Let's ________ a ________ together.

5 그것은 느린 자동차야. It is a ________ ________.

DAY 17

운 동

STEP 1 오늘의 단어를 듣고, 그림에서 찾아 동그라미 하세요.

21 10
PLAY
Let's play soccer.

찾지 못한 단어는 STEP 2에서 확인하세요.

오늘의 단어를 확인하고, 따라 말하세요.

play
(운동을) 하다, 놀다

soccer
축구

baseball
야구

basketball
농구

badminton
배드민턴

tennis
테니스

playground
운동장, 놀이터

score
점수

win 이기다

lose 지다

오늘의 단어를 따라 쓰세요.

play
(운동을) 하다, 놀다

soccer
축구

baseball
야구

basketball
농구

badminton
배드민턴

tennis
테니스

playground
운동장, 놀이터

score
점수

win
이기다

lose
지다

Ⓐ 그림을 보고, 알맞은 단어를 골라 기호를 쓰세요.

보기 ⓐ basketball ⓑ badminton ⓒ baseball

Ⓑ 그림을 보고, 알맞은 단어와 연결한 다음 우리말 뜻을 쓰세요.

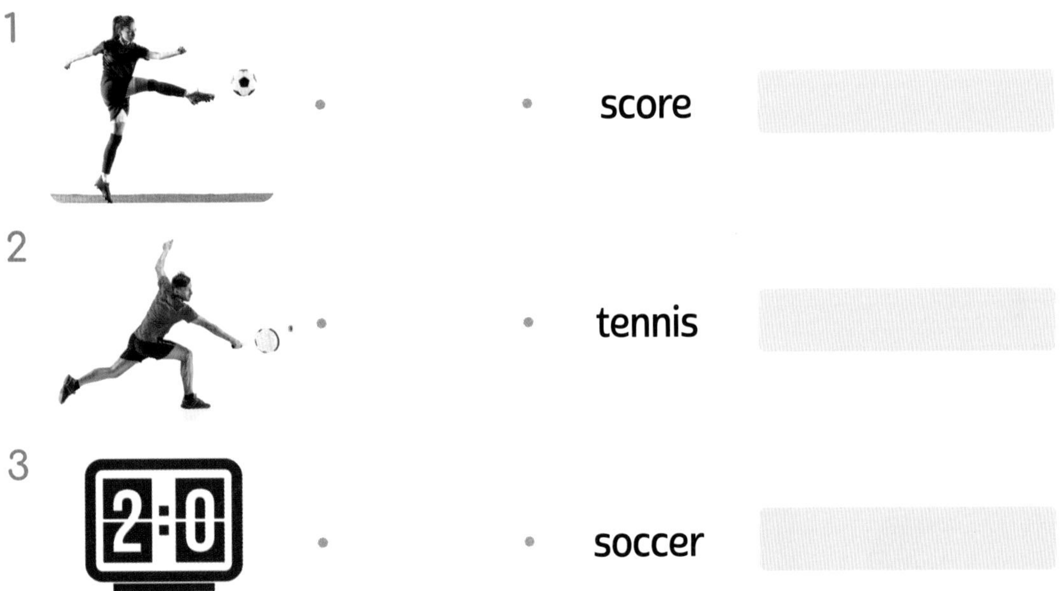

1 • • score

2 • • tennis

3 • • soccer

Ⓒ 우리말에 맞게 알파벳을 바르게 배열하여 단어를 쓰세요.

1 (운동을) 하다 ________ (a, l, p, y)

2 이기다 ________ (n, i, w)

3 운동장 ________ (g, d, r, n, o, u, a, l, p, y)

4 지다 ________ (e, l, s, o)

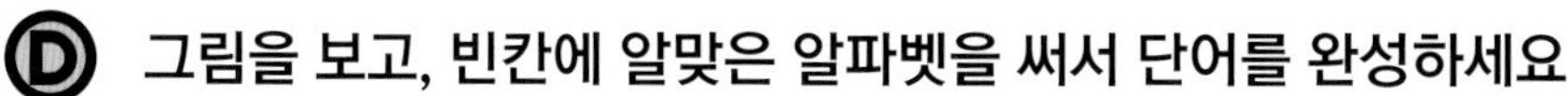

D 그림을 보고, 빈칸에 알맞은 알파벳을 써서 단어를 완성하세요.

1 _ enni _

2 playgr _ _ nd

3 _ a _ _ etball

E 우리말에 맞게 알맞은 단어를 써서 문장을 완성하세요.

1 야구하자.

Let's play ________.

2 축구하자.

Let's play ________.

3 배드민턴 치자.

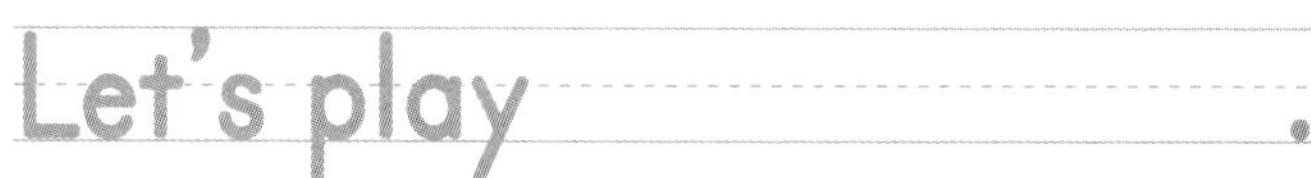

Let's play ________.

Let's play 뒤에 운동을 나타내는
단어를 넣어 어떤 운동을 같이 하자고
제안하는 말을 할 수 있어요.

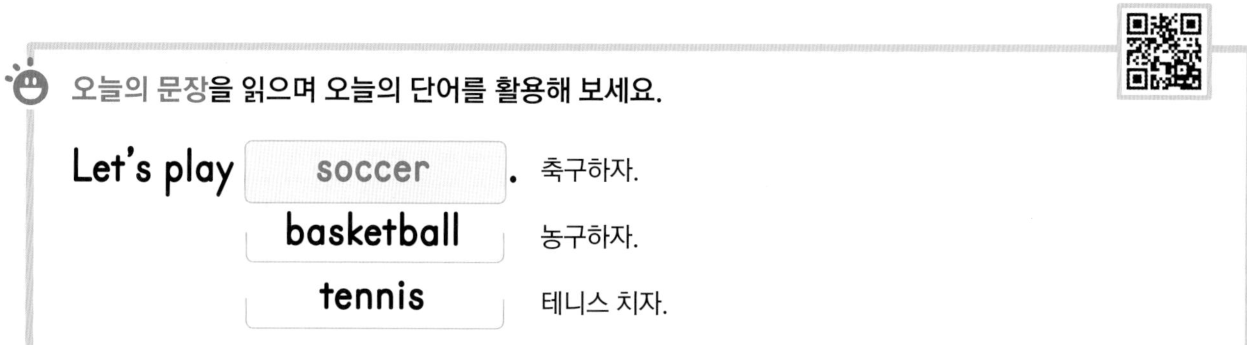

오늘의 문장을 읽으며 오늘의 단어를 활용해 보세요.

Let's play soccer. 축구하자.

basketball 농구하자.

tennis 테니스 치자.

DAY 18 색

오늘의 단어를 듣고, 알맞은 색으로 그림을 칠하세요.

What color is it?

It is blue.

찾지 못한 단어는 STEP 2에서 확인하세요.

오늘의 문장 A: What color is it?
B: It is blue.

STEP 2 오늘의 단어를 확인하고, 따라 말하세요.

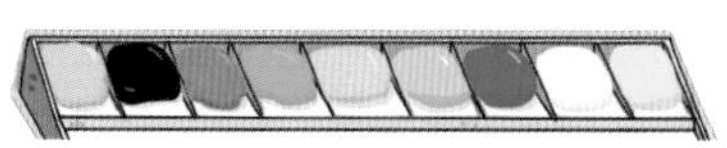
color 색

black 검은색

blue 파란색

brown 갈색

green 초록색

grey 회색

pink 분홍색

red 빨간색

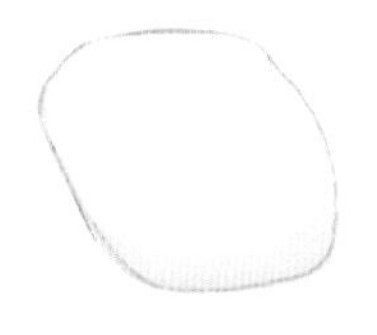
white 흰색

yellow 노란색

STEP 3 오늘의 단어를 따라 쓰세요.

color
색

black
검은색

blue
파란색

brown
갈색

green
초록색

grey
회색

pink
분홍색

red
빨간색

white
흰색

yellow
노란색

DAY 18 Test

Ⓐ 그림을 보고, 알맞은 단어를 골라 기호를 쓰세요.

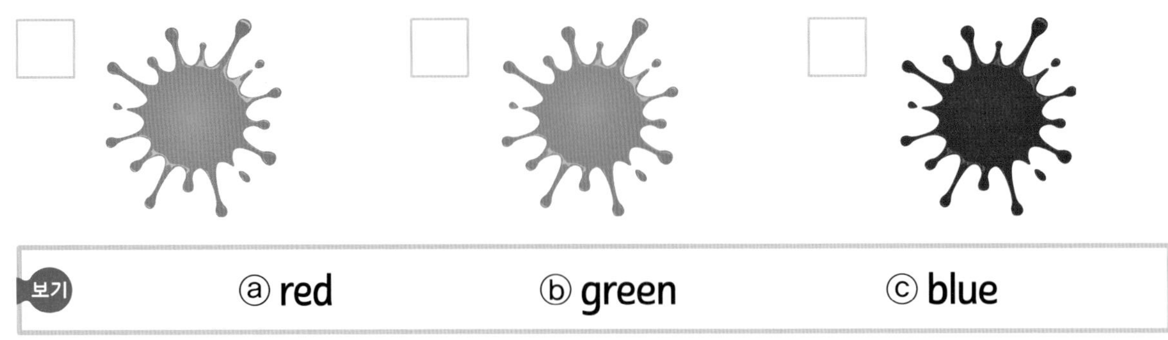

보기 ⓐ red ⓑ green ⓒ blue

Ⓑ 그림을 보고, 사물의 색을 나타내는 단어와 우리말 뜻을 연결하세요.

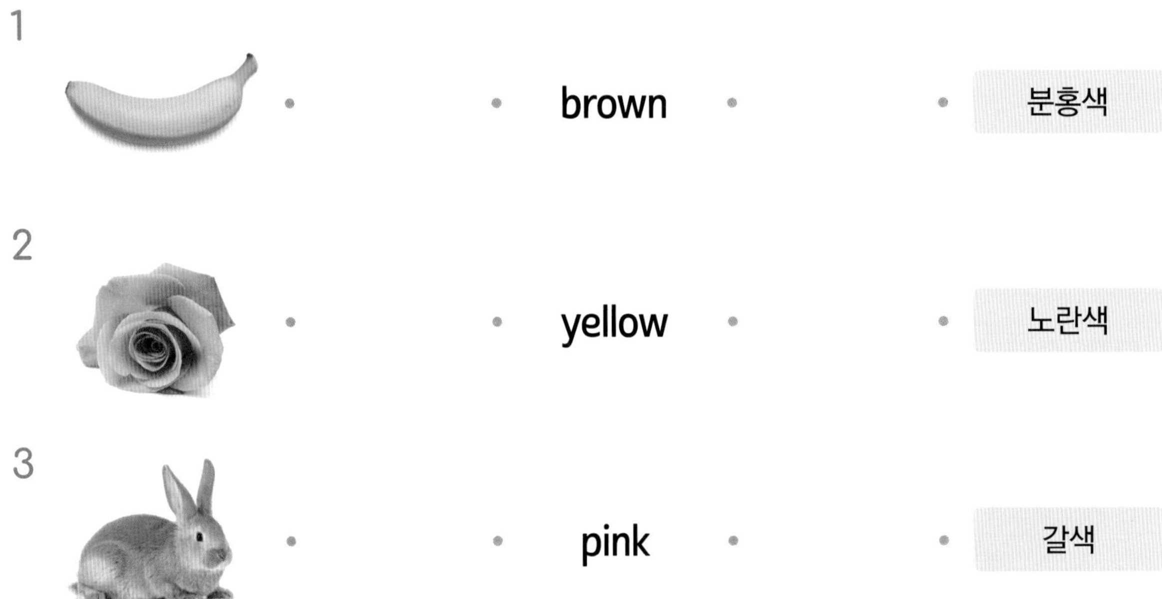

1 · · brown · · 분홍색

2 · · yellow · · 노란색

3 · · pink · · 갈색

Ⓒ 우리말에 맞게 빈칸에 알맞은 알파벳을 써서 단어를 완성하세요.

1 색 ☐o☐or

2 흰색 ☐☐ite

3 회색 g☐☐y

4 검은색 ☐☐ack

Ⓓ 그림을 보고, 연상되는 색을 찾아 쓰세요.

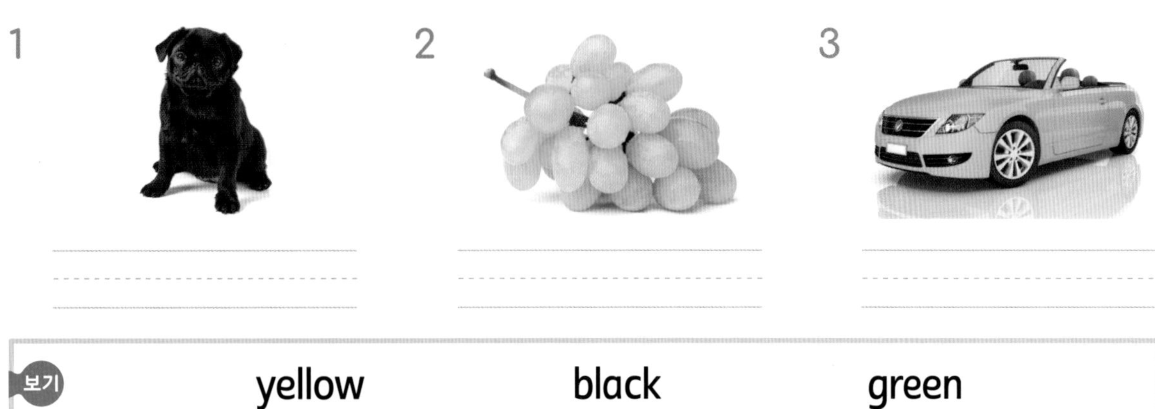

1

2

3

보기 yellow black green

Ⓔ 우리말에 맞게 알맞은 단어를 써서 문장을 완성하세요.

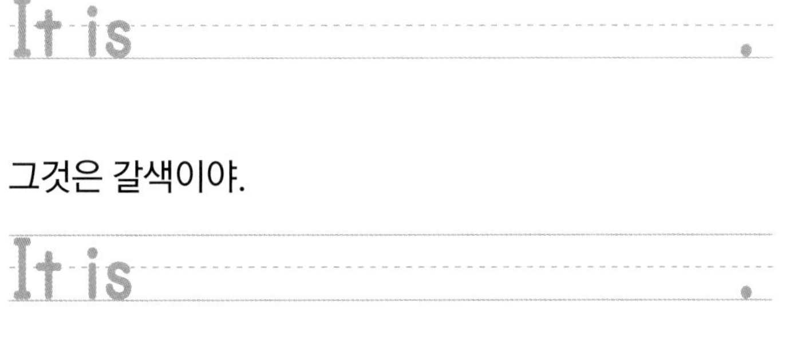

1 그것은 흰색이야.

It is ______.

2 그것은 갈색이야.

It is ______.

3 그것은 분홍색이야.

It is ______.

사물의 색이 무엇인지
물을 때는 What color is it?이라고
말하고, 대답은 It is 뒤에 색을 나타내는
단어를 넣어 말할 수 있어요.

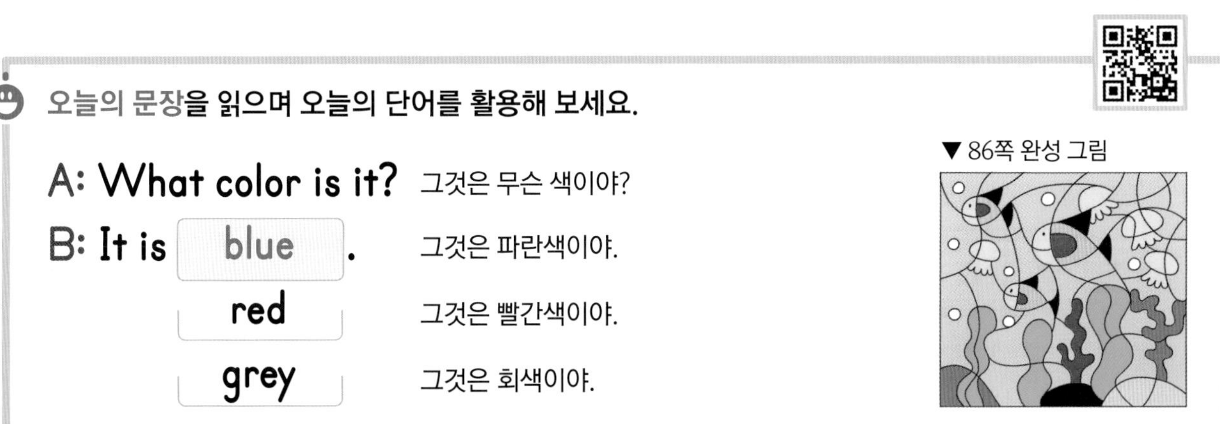

오늘의 문장을 읽으며 오늘의 단어를 활용해 보세요.

A: What color is it? 그것은 무슨 색이야?

B: It is blue. 그것은 파란색이야.

red 그것은 빨간색이야.

grey 그것은 회색이야.

▼ 86쪽 완성 그림

요 일

오늘의 단어를 듣고, 그림에서 찾아 동그라미 하세요.

찾지 못한 단어는 STEP 2에서 확인하세요.

오늘의 문장 It is Thursday today.

STEP 2 오늘의 단어를 확인하고, 따라 말하세요.

Sunday 일요일

Monday 월요일

Tuesday 화요일

Wednesday 수요일

Thursday 목요일

Friday 금요일

Saturday 토요일

today 오늘

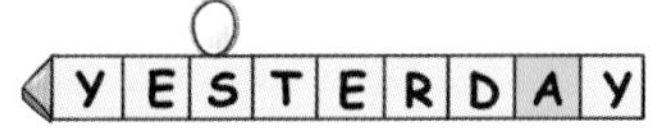

tomorrow 내일

yesterday 어제

STEP 3 오늘의 단어를 따라 쓰세요.

Sunday 일요일

Monday 월요일

Tuesday 화요일

Wednesday 수요일

Thursday 목요일

Friday 금요일

Saturday 토요일

today 오늘

tomorrow 내일

yesterday 어제

DAY 19 Test

Ⓐ 그림을 보고, 알맞은 단어를 고르세요.

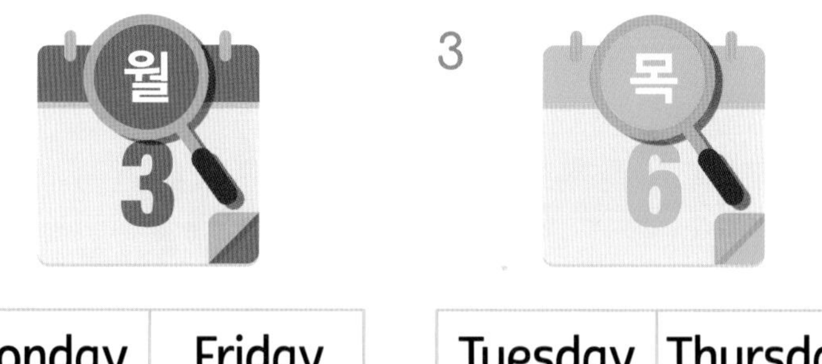

1 Sunday | Saturday

2 Monday | Friday

3 Tuesday | Thursday

Ⓑ 우리말에 맞게 알맞은 단어와 연결하세요.

1 어제 • • tomorrow

2 오늘 • • today

3 내일 • • yesterday

Ⓒ 우리말에 맞게 빈칸에 알맞은 알파벳을 써서 단어를 완성하세요.

1 월요일 M ☐ ☐ day

2 화요일 T ☐ ☐ sday

3 수요일 We ☐ ☐ esday

4 금요일 ☐ ☐ iday

5 토요일 ☐ ☐ turday

6 일요일 ☐ ☐ nday

정답 200쪽

D 달력을 보고, 알맞은 단어를 찾아 쓰세요.

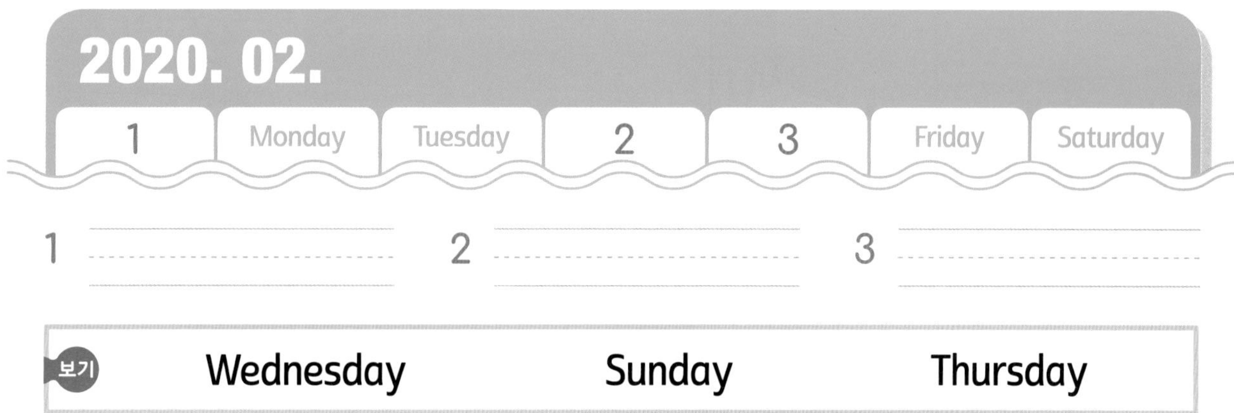

1 ____________ 2 ____________ 3 ____________

보기 Wednesday Sunday Thursday

E 우리말에 맞게 알맞은 단어를 써서 문장을 완성하세요.

1 오늘은 월요일이야.

It is ____________ today.

2 오늘은 화요일이야.

It is ____________ today.

3 오늘은 토요일이야.

It is ____________ today.

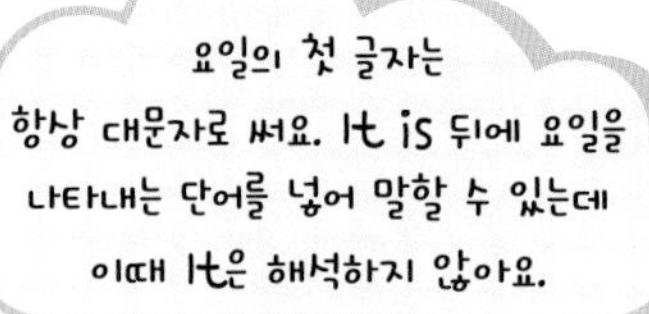

요일의 첫 글자는
항상 대문자로 써요. It is 뒤에 요일을
나타내는 단어를 넣어 말할 수 있는데
이때 It은 해석하지 않아요.

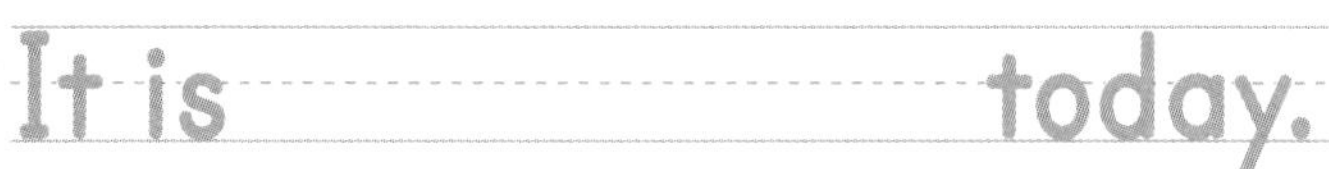

 오늘의 문장을 읽으며 오늘의 단어를 활용해 보세요.

It is Thursday today. 오늘은 목요일이야.

Friday 오늘은 금요일이야.

Saturday 오늘은 토요일이야.

DAY 20 음 식

STEP 1 오늘의 단어를 듣고, 그림에서 찾아 동그라미 하세요.

찾지 못한 단어는 STEP 2에서 확인하세요.

 STEP 2 오늘의 단어를 확인하고, 따라 말하세요. 

fruit 과일

vegetable 야채

egg 달걀

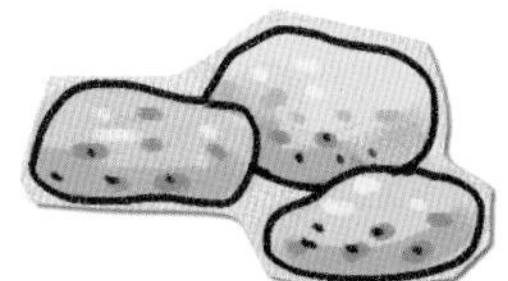
potato 감자

candy 사탕

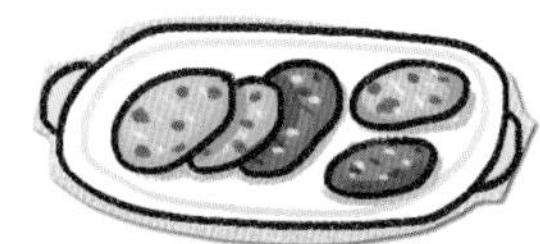
cookie 쿠키

bread 빵

honey 꿀

milk 우유

want 원하다

STEP 3 오늘의 단어를 따라 쓰세요.

fruit
과일

vegetable
야채

egg
달걀

potato
감자

candy
사탕

cookie
쿠키

bread
빵

honey
꿀

milk
우유

want
원하다

DAY 20 Test

A 그림을 보고, 알맞은 단어를 골라 기호를 쓰세요.

보기 ⓐ milk ⓑ candy ⓒ egg

B 그림을 보고, 알맞은 단어와 우리말 뜻을 연결하세요.

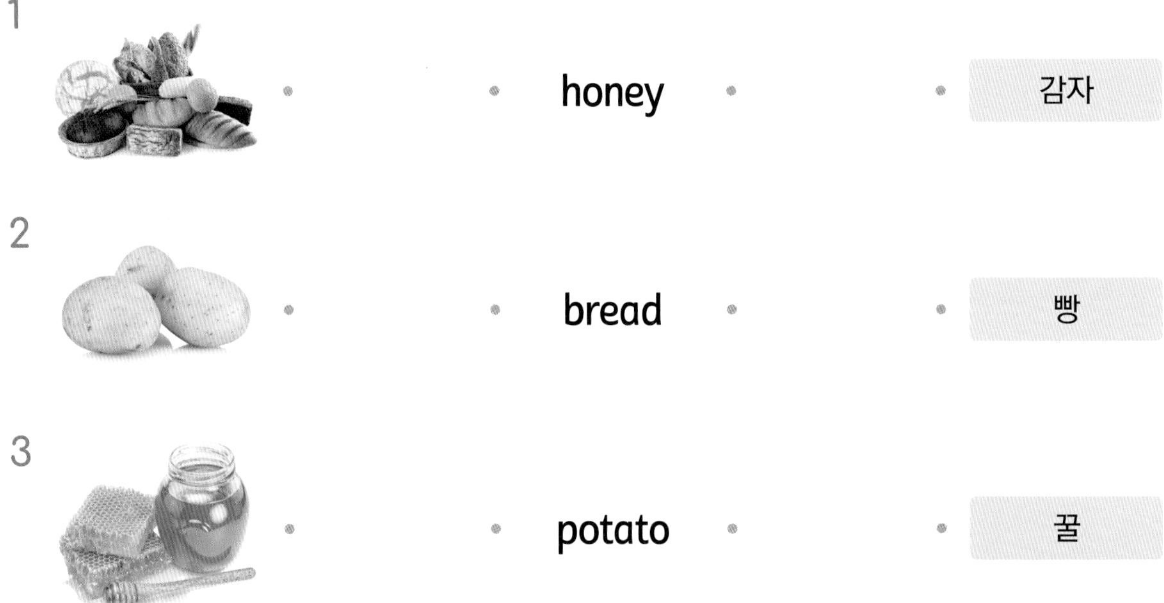

1	honey	감자
2	bread	빵
3	potato	꿀

C 우리말에 맞게 빈칸에 알맞은 알파벳을 써서 단어를 완성하세요.

1 원하다 ☐an☐

2 쿠키 cook☐☐

3 과일 ☐☐uit

4 야채 v☐g☐table

정답 200쪽

Ⓓ 그림을 보고, 알맞은 단어를 찾아 쓰세요.

1 ______ 2 ______ 3 ______

보기 vegetable fruit potato

Ⓔ 우리말에 맞게 알맞은 단어를 써서 문장을 완성하세요.

1 나는 쿠키를 원해.

I want some ______s.

2 나는 우유를 원해.

I want some ______.

3 나는 꿀을 원해.

I want some ______.

some(조금, 약간) 뒤에 오는 단어는 끝에 보통 -(e)s를 붙여서 여러 개를 나타내는데 빵, 액체, 가루로 된 것들은 -(e)s를 붙이지 않아요. 개수를 셀 수가 없거든요. candy는 y가 i로 바뀌고 -es를 붙여요.

오늘의 문장을 읽으며 오늘의 단어를 활용해 보세요.

I want some candies. 나는 사탕을 원해.

eggs 나는 달걀을 원해.

milk 나는 우유를 원해.

Review Test

A 다음 단어의 우리말 뜻을 쓰세요.

1 baseball ____________
2 color ____________
3 Sunday ____________
4 fruit ____________
5 basketball ____________
6 black ____________
7 Monday ____________
8 vegetable ____________
9 soccer ____________
10 blue ____________
11 Tuesday ____________
12 bread ____________
13 badminton ____________
14 brown ____________
15 Wednesday ____________
16 potato ____________
17 tennis ____________
18 green ____________
19 egg ____________
20 Thursday ____________

B 다음 우리말 뜻에 해당하는 단어를 쓰세요.

1 (운동을) 하다 ____________
2 회색 ____________
3 금요일 ____________
4 꿀 ____________
5 운동장, 놀이터 ____________
6 분홍색 ____________
7 토요일 ____________
8 원하다 ____________
9 지다 ____________
10 빨간색 ____________
11 오늘 ____________
12 우유 ____________
13 이기다 ____________
14 흰색 ____________
15 내일 ____________
16 사탕 ____________
17 점수 ____________
18 노란색 ____________
19 어제 ____________
20 쿠키 ____________

정답 213쪽

C 그림을 보고, 알맞은 단어를 골라 문장을 완성하세요.

1 

Let's play (baseball / basketball).

2 

I want some (honey / milk).

3 

It is (Sunday / Saturday) today.

4 

It is (Tuesday / Thursday) today.

5 

It is (grey / green).

D 우리말에 맞게 알맞은 단어를 써서 문장을 완성하세요.

1 나는 달걀을 원해. I ________ some ________s.

2 축구를 하자. Let's ________ ________.

3 그것은 무슨 색이니? What ________ is it?

4 그것은 빨간색이야. It is ________.

5 오늘은 수요일이야. It is ________ today.

DAY 21

기분과 상태

STEP 1 오늘의 단어를 듣고, 그림에서 찾아 동그라미 하세요.

찾지 못한 단어는 STEP 2에서 확인하세요.

STEP 2 오늘의 단어를 확인하고, 따라 말하세요.

afraid 두려운

angry 화난

brave 용감한

sorry 미안한

happy 행복한

hungry 배고픈

kind 친절한

sad 슬픈

shy 부끄러운

thirsty 목마른

STEP 3 오늘의 단어를 따라 쓰세요.

afraid 두려운

angry 화난

brave 용감한

sorry 미안한

happy 행복한

hungry 배고픈

kind 친절한

sad 슬픈

shy 부끄러운

thirsty 목마른

Ⓐ 그림을 보고, 알맞은 단어를 골라 기호를 쓰세요.

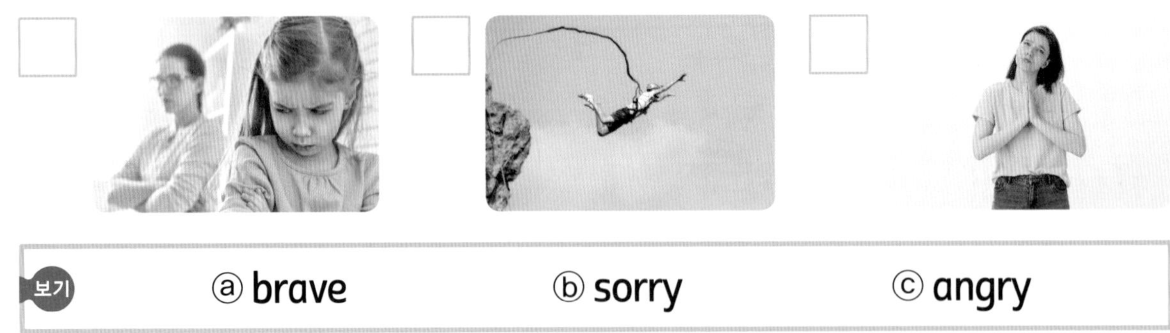

보기 ⓐ brave ⓑ sorry ⓒ angry

Ⓑ 그림을 보고, 알맞은 단어와 우리말 뜻을 연결하세요.

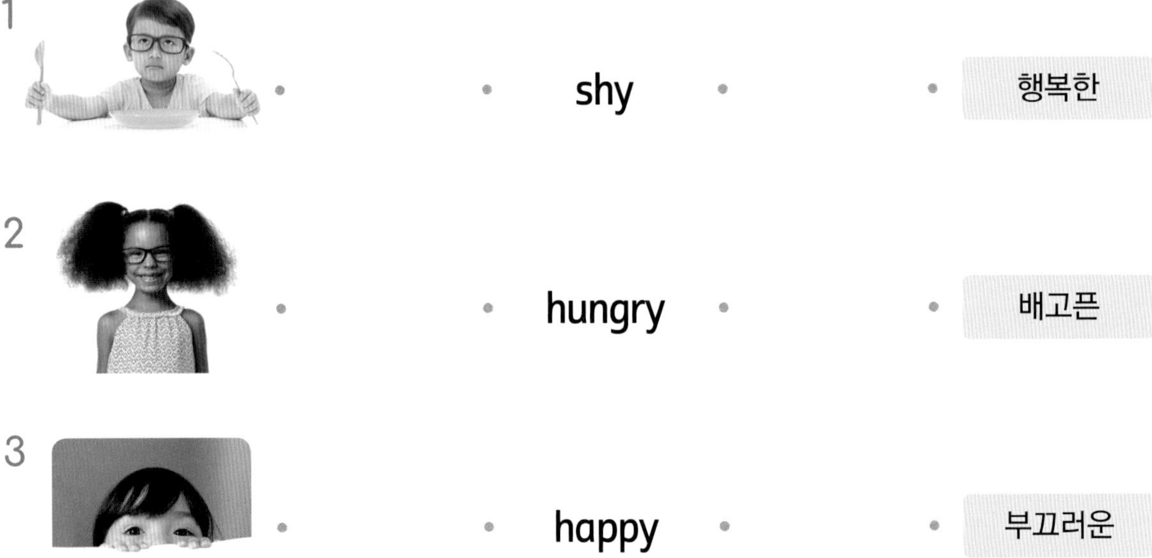

1	shy	행복한
2	hungry	배고픈
3	happy	부끄러운

Ⓒ 우리말에 맞게 빈칸에 알맞은 알파벳을 써서 단어를 완성하세요.

1 친절한 ☐ in ☐

2 슬픈 s ☐ ☐

3 목마른 ☐ ☐ irsty

4 두려운 a ☐ r ☐ id

Ⓓ 그림을 보고, 알맞은 단어를 찾아 쓰세요.

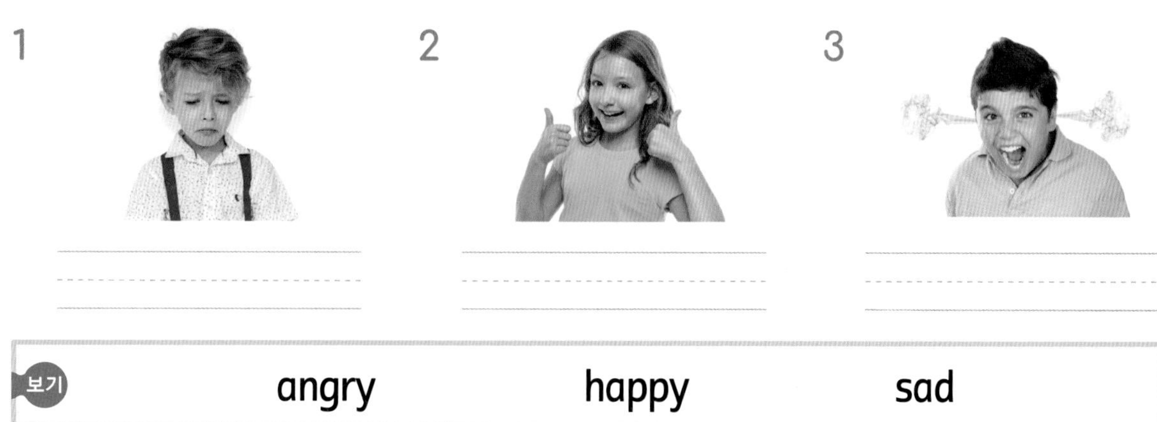

보기 angry happy sad

Ⓔ 우리말에 맞게 알맞은 단어를 써서 문장을 완성하세요.

1 나는 목말라.

I am ____________.

2 그는 두려워.

He is ____________.

3 그녀는 배고파.

She is ____________.

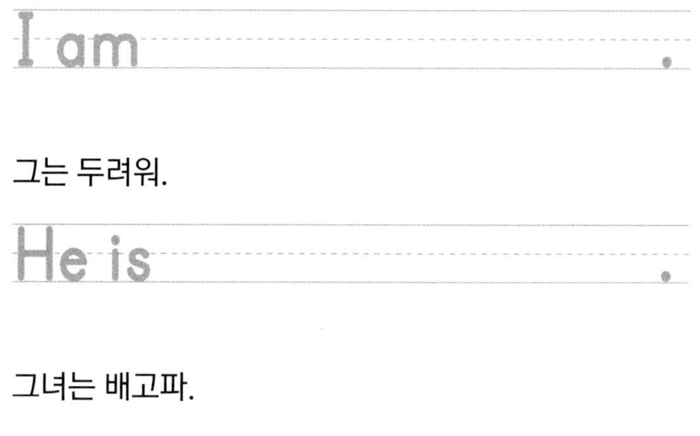

I am은 I'm으로, you are는 you're로, he is는 he's로, she is는 she's로 줄여 쓸 수 있어요.

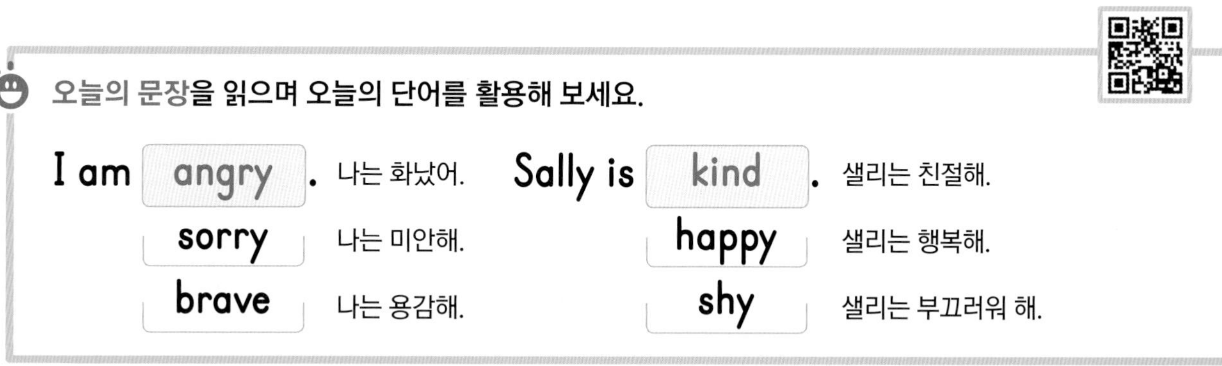

오늘의 문장을 읽으며 오늘의 단어를 활용해 보세요.

I am	angry	나는 화났어.	Sally is	kind	샐리는 친절해.
	sorry	나는 미안해.		happy	샐리는 행복해.
	brave	나는 용감해.		shy	샐리는 부끄러워 해.

DAY 22 금 지 하 기

STEP 1 오늘의 단어를 듣고, 그림에서 찾아 동그라미 하세요.

찾지 못한 단어는 STEP 2에서 확인하세요.

STEP 2 오늘의 단어를 확인하고, 따라 말하세요.

cry 울다

talk 말하다

push 밀다

pull 당기다

enter 들어가다

fight 싸우다

stand 일어서다

sit 앉다

up 위

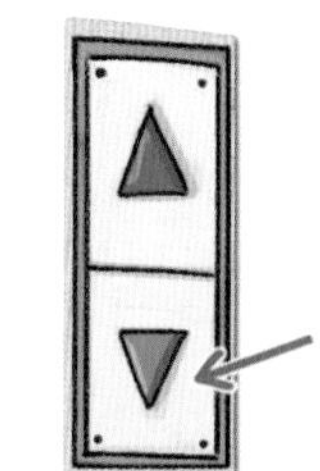

down 아래

STEP 3 오늘의 단어를 따라 쓰세요.

cry 울다

talk 말하다

push 밀다

pull 당기다

enter 들어가다

fight 싸우다

stand 일어서다

sit 앉다

up 위

down 아래

DAY 22 Test

Ⓐ 그림을 보고, 알맞은 단어를 고르세요.

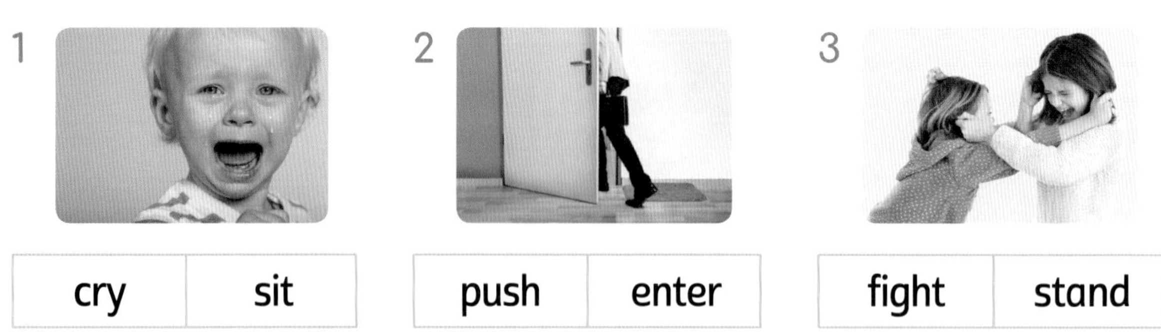

1		2		3	
cry	sit	push	enter	fight	stand

Ⓑ 그림을 보고, 알맞은 단어와 연결한 다음 우리말 뜻을 쓰세요.

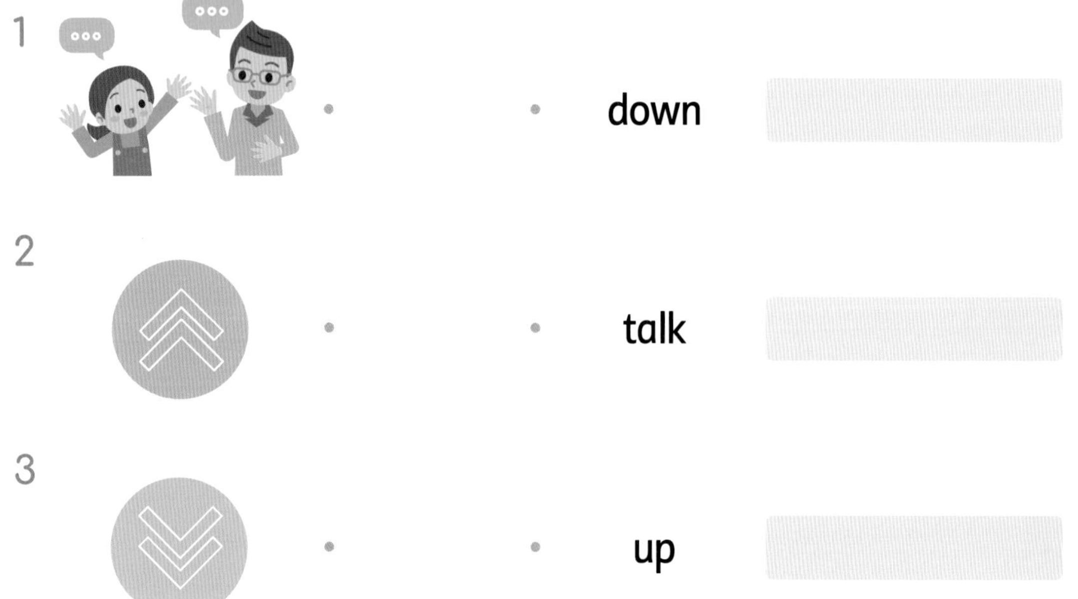

1 • • down

2 • • talk

3 • • up

Ⓒ 우리말에 맞게 알파벳을 바르게 배열하여 단어를 쓰세요.

1 밀다 ______ (h, p, s, u)

2 당기다 ______ (l, u, l, p)

3 일어서다 ______ (a, d, n, t, s)

4 앉다 ______ (i, s, t)

정답 201쪽

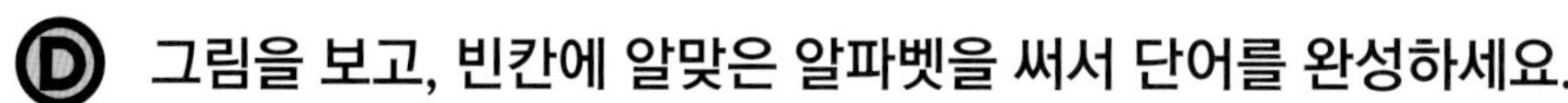

D 그림을 보고, 빈칸에 알맞은 알파벳을 써서 단어를 완성하세요.

1 ☐☐and

2 t☐☐k

3 ☐i☐☐t

E 우리말에 맞게 알맞은 단어를 써서 문장을 완성하세요.

1 울지 마세요.

Don't ________, please.

2 당기지 마세요.

Don't ________, please.

3 들어가지 마세요.

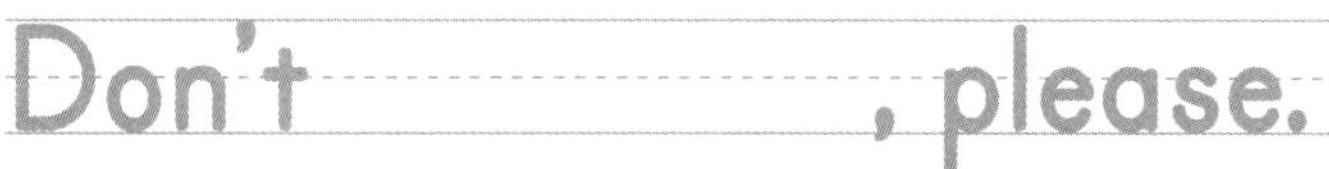

Don't ________, please.

금지하는 말을 할 때는 Don't 뒤에 동작을 나타내는 단어를 넣어 말할 수 있어요. 문장의 앞 또는 뒤에 please를 넣어서 좀 더 정중하고 예의 바르게 말할 수 있어요.

 오늘의 문장을 읽으며 오늘의 단어를 활용해 보세요.

Don't push, please. 밀지 마세요.

talk 말하지 마세요.

sit down 앉지 마세요.

날 씨

오늘의 단어를 듣고, 그림에서 찾아 동그라미 하세요.

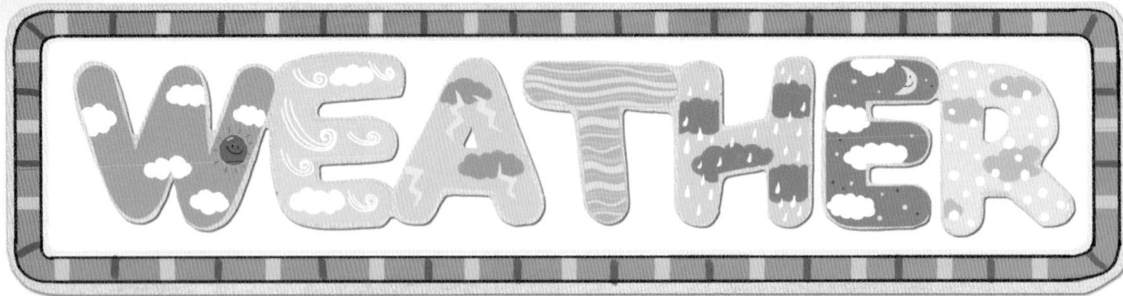

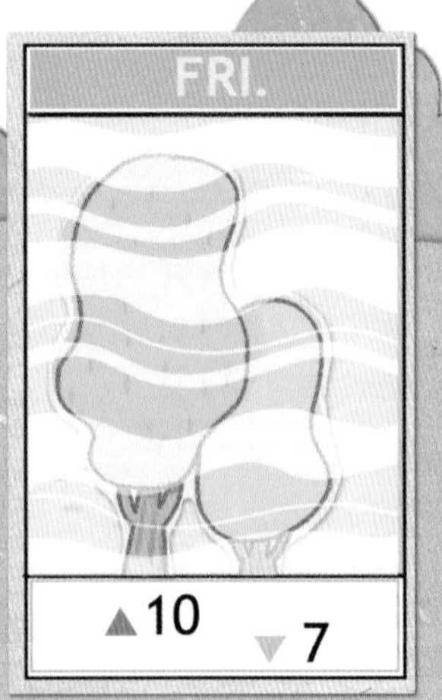

찾지 못한 단어는 STEP 2에서 확인하세요.

STEP 2 오늘의 단어를 확인하고, 따라 말하세요.

sunny 맑은

cloudy 구름 낀, 흐린

windy 바람 부는

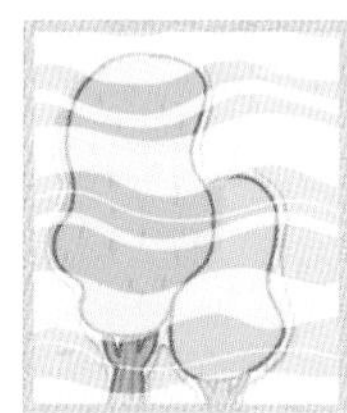

foggy 안개 낀

raining 비 오는

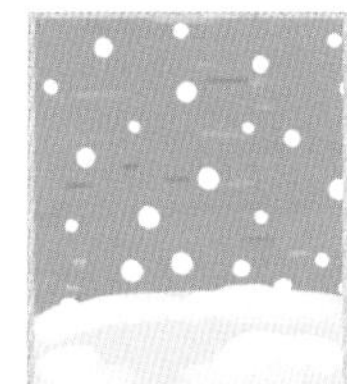

snowing 눈 오는

rainbow 무지개

snowman 눈사람

lightning 번개

weather 날씨

STEP 3 오늘의 단어를 따라 쓰세요.

sunny
맑은

cloudy
구름 낀, 흐린

windy
바람 부는

foggy
안개 낀

raining
비 오는

snowing
눈 오는

rainbow
무지개

snowman
눈사람

lightning
번개

weather
날씨

DAY 23 Test

Ⓐ 그림을 보고, 알맞은 단어를 골라 기호를 쓰세요.

보기 ⓐ snowing ⓑ windy ⓒ rainbow

Ⓑ 그림을 보고, 알맞은 단어와 우리말 뜻을 연결하세요.

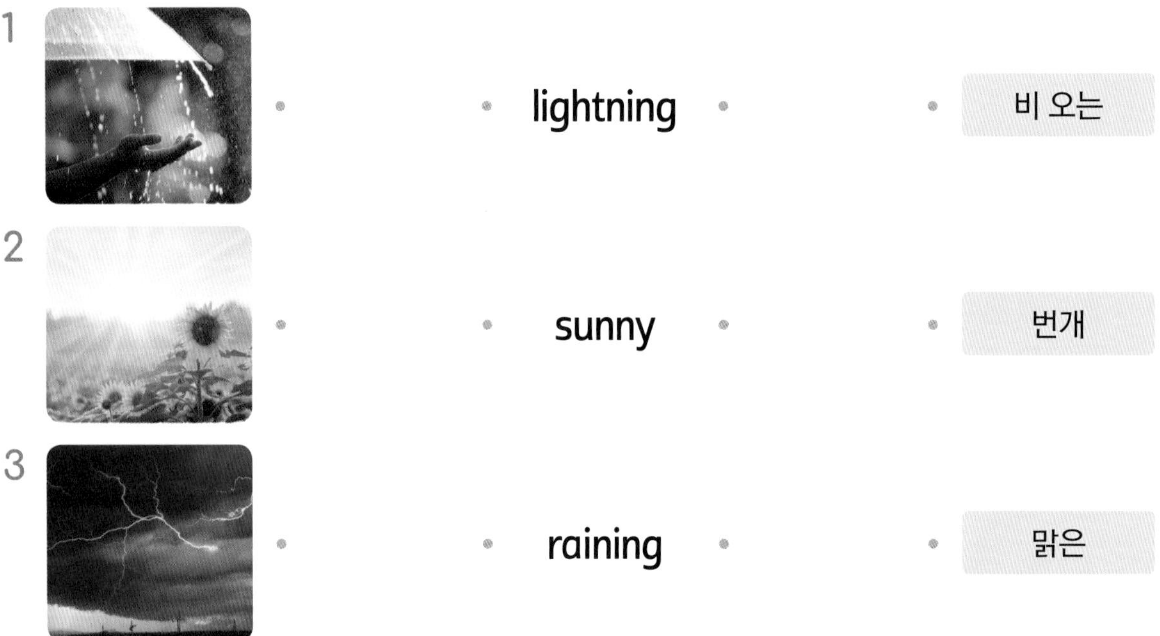

1	lightning	비 오는
2	sunny	번개
3	raining	맑은

Ⓒ 우리말에 맞게 빈칸에 알맞은 알파벳을 써서 단어를 완성하세요.

1 날씨 wea☐☐er 2 구름 낀, 흐린 ☐☐oudy

3 안개 낀 fo☐☐y 4 눈사람 sn☐w☐an

정답 202쪽

D 그림을 보고, 알맞은 단어를 찾아 쓰세요.

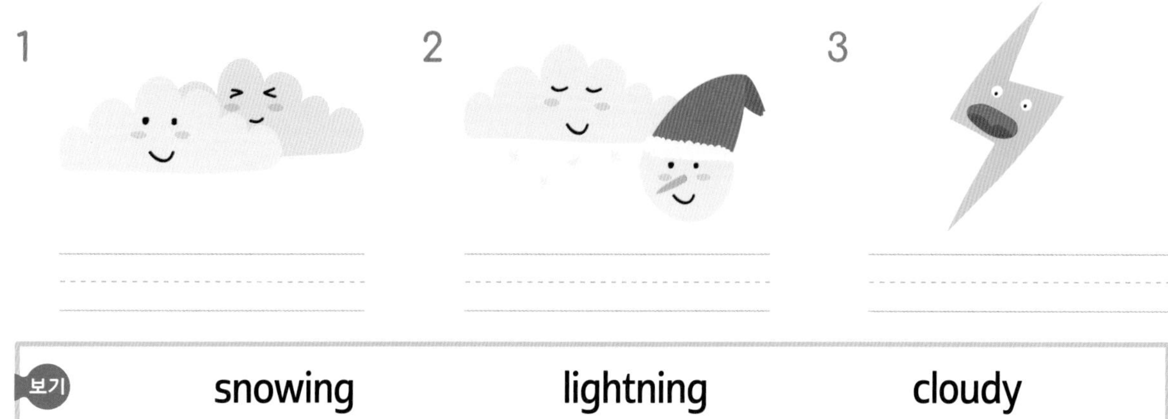

1

2

3

보기 snowing lightning cloudy

E 우리말에 맞게 알맞은 단어를 써서 문장을 완성하세요.

1 오늘은 바람이 불어.

It is ______ today.

2 오늘은 비가 와.

It is ______ today.

3 오늘은 안개가 꼈어.

It is ______ today.

날씨가 어떤지 물을 때는 How is the weather?라고 묻고, 대답은 It is 뒤에 날씨를 나타내는 단어를 넣어 말할 수 있어요. 이때 it은 해석하지 않아요.

오늘의 문장을 읽으며 오늘의 단어를 활용해 보세요.

It is	sunny	today.	오늘은 맑아.
	cloudy		오늘은 흐려.
	snowing		오늘은 눈이 와.

DAY 24

나 이

STEP 1 오늘의 단어를 듣고, 선을 연결하여 그림을 완성하세요.

찾지 못한 단어는 STEP 2에서 확인하세요.

오늘의 문장 I am eleven years old.

STEP 2 오늘의 단어를 확인하고, 따라 말하세요.

11 **eleven** 11, 열하나	12 **twelve** 12, 열둘
13 **thirteen** 13, 열셋	14 **fourteen** 14, 열넷
15 **fifteen** 15, 열다섯	16 **sixteen** 16, 열여섯
17 **seventeen** 17, 열일곱	18 **eighteen** 18, 열여덟
19 **nineteen** 19, 열아홉	**how old** 몇 살

STEP 3 오늘의 단어를 따라 쓰세요.

eleven
11, 열하나

twelve
12, 열둘

thirteen
13, 열셋

fourteen
14, 열넷

fifteen
15, 열다섯

sixteen
16, 열여섯

seventeen
17, 열일곱

eighteen
18, 열여덟

nineteen
19, 열아홉

how old
몇 살

DAY 24 Test

Ⓐ 그림을 보고, 수를 세어 알맞은 단어를 고르세요.

1

eleven	twelve

2

thirteen	nineteen

3

fourteen	fifteen

Ⓑ 그림을 보고, 알맞은 단어와 연결한 다음 우리말 뜻을 쓰세요.

1

2

3

• fourteen

• eighteen

• sixteen

Ⓒ 우리말에 맞게 알파벳을 바르게 배열하여 단어를 쓰세요.

1 12, 열둘 ______ (e, e, l, t, v, w)

2 17, 열일곱 ______ (t, e, n, s, v, e, n, e, e)

3 19, 열아홉 ______ (e, e, e, n, n, n, i, t)

4 몇 살 ______ (h, w, l, d, o, o)

D 뺄셈을 풀고, 빈칸에 알맞은 알파벳을 써서 정답 단어를 완성하세요.

1 19-2 □□□□□teen

2 17-3 □□□□teen

3 16-5 □□□□□n

E 우리말에 맞게 알맞은 단어를 써서 문장을 완성하세요.

1 나는 12살이야.

I am ______ years old.

2 나는 15살이야.

I am ______ years old.

3 나는 18살이야.

상대방의 나이를 물을 때는 How old are you?라고 묻고, 대답은 「I am+숫자+years old.」라고 말할 수 있어요.

 오늘의 문장을 읽으며 오늘의 단어를 활용해 보세요.

A: How old are you? 너는 몇 살이니?

B: I am eleven years old. 나는 11살이야.

sixteen 나는 16살이야.

nineteen 나는 19살이야.

Review Test

A 다음 단어의 우리말 뜻을 쓰세요.

1 afraid ______
2 cry ______
3 weather ______
4 eleven ______
5 angry ______
6 pull ______
7 cloudy ______
8 twelve ______
9 brave ______
10 enter ______
11 raining ______
12 thirteen ______
13 sorry ______
14 fight ______
15 snowing ______
16 fourteen ______
17 happy ______
18 push ______
19 windy ______
20 fifteen ______

B 다음 우리말 뜻에 해당하는 단어를 쓰세요.

1 배고픈 ______
2 말하다 ______
3 맑은 ______
4 16, 열여섯 ______
5 친절한 ______
6 일어서다 ______
7 무지개 ______
8 17, 열일곱 ______
9 슬픈 ______
10 앉다 ______
11 눈사람 ______
12 18, 열여덟 ______
13 부끄러운 ______
14 위 ______
15 번개 ______
16 19, 열아홉 ______
17 목마른 ______
18 아래 ______
19 안개 낀 ______
20 몇 살 ______

정답 213쪽

C 그림을 보고, 알맞은 단어를 골라 문장을 완성하세요.

1  I am (afraid / angry).

2  It is (sunny / snowing).

3  Don't (cry / talk), please.

4  Don't (push / fight), please.

5 

I am (eleven / eighteen) years old.

D 우리말에 맞게 알맞은 단어를 써서 문장을 완성하세요.

1 나는 행복해. 그는 슬퍼. I am ______________. He is ______________.

2 들어가지 마세요. Don't ______________, please.

3 날씨는 어떠니? – 비가 와. How is the ______________? - It is ______________.

4 너는 몇 살이니? ______________ ______________ are you?

5 나는 12살이야. I am ______________ years old.

DAY 25 감 탄 하 기

STEP 1 오늘의 단어를 듣고, 그림에서 찾아 동그라미 하세요.

Look at that ant. How busy!

찾지 못한 단어는 STEP 2에서 확인하세요.

STEP 2 오늘의 단어를 확인하고, 따라 말하세요.

busy 바쁜

lazy 게으른

poor 가난한

rich 부유한

soft 부드러운

hard 딱딱한

smart 똑똑한

foolish 어리석은

thick 두꺼운

thin 얇은

STEP 3 오늘의 단어를 따라 쓰세요.

busy
바쁜

lazy
게으른

poor
가난한

rich
부유한

soft
부드러운

hard
딱딱한

smart
똑똑한

foolish
어리석은

thick
두꺼운

thin
얇은

DAY 25 Test

A 그림을 보고, 알맞은 단어를 골라 기호를 쓰세요.

보기 ⓐ rich ⓑ busy ⓒ soft

B 단어를 읽고, 반대말끼리 연결하세요.

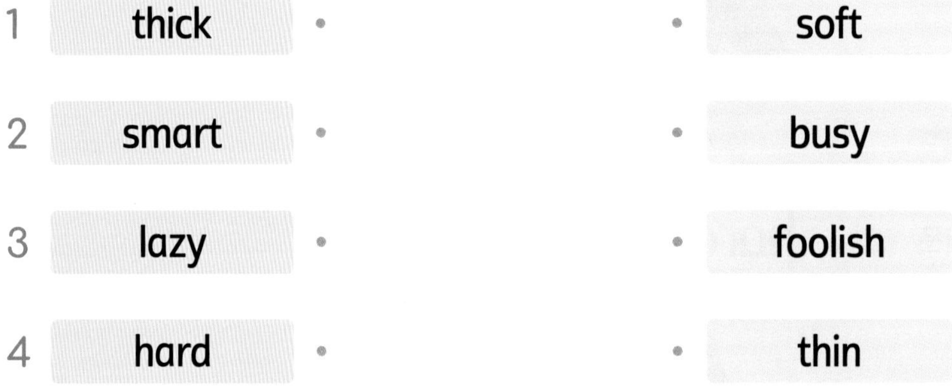

1 thick • • soft

2 smart • • busy

3 lazy • • foolish

4 hard • • thin

C 우리말에 맞게 빈칸에 알맞은 알파벳을 써서 단어를 완성하세요.

1 가난한 p __ __ r

2 부유한 ri __ __

3 부드러운 so __ __

4 바쁜 b __ s __

D 그림을 보고, 알맞은 단어를 찾아 쓰세요.

1 ______ 2 ______ 3 ______

보기 lazy hard thin

E 우리말에 맞게 알맞은 단어를 써서 문장을 완성하세요.

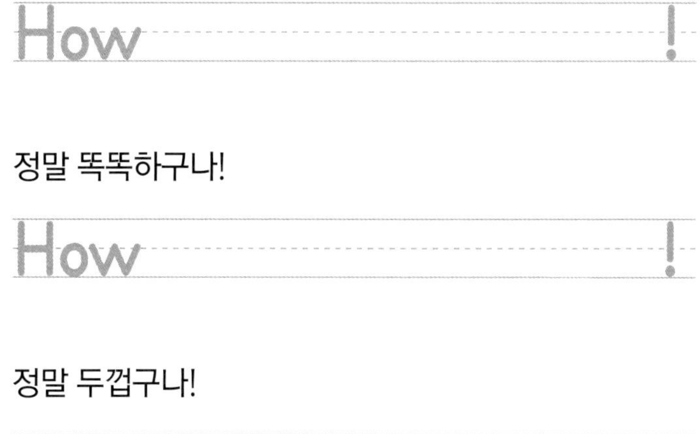

1 정말 어리석구나!

How ______ !

2 정말 똑똑하구나!

How ______ !

3 정말 두껍구나!

How ______ !

How 뒤에 모양·상태를 나타내는 단어(형용사)를 넣어 감탄하는 말을 할 수 있어요.

오늘의 문장을 읽으며 오늘의 단어를 활용해 보세요.

Look at that ant.	How	busy !	저 개미를 봐. 정말 바쁘구나!
My dog can swim.		smart	나의 개는 수영할 수 있어. 정말 똑똑해!
Touch this doll.		soft	이 인형을 만져 봐. 정말 부드러워!

DAY 26 물건의 위치

STEP 1 오늘의 단어를 듣고, 그림에서 찾아 동그라미 하세요.

Where is my watch?
It is on the table.

찾지 못한 단어는 STEP 2에서 확인하세요.

오늘의 문장 A: Where is my watch?
B: It is on the table.

오늘의 단어를 확인하고, 따라 말하세요.

where 어디에

on ~ 위에

in ~ 안에

under ~ 아래에

watch 손목시계

notebook 공책

bat 야구 방망이

box 상자

basket 바구니

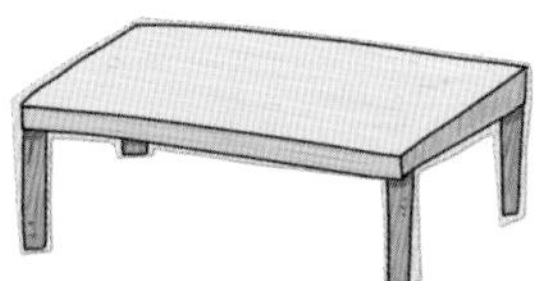
table 탁자

STEP 3 오늘의 단어를 따라 쓰세요.

where
어디에

on
~ 위에

in
~ 안에

under
~ 아래에

watch
손목시계

notebook
공책

bat
야구 방망이

box
상자

basket
바구니

table
탁자

DAY 26 Test

Ⓐ 그림을 보고, 알맞은 단어를 고르세요.

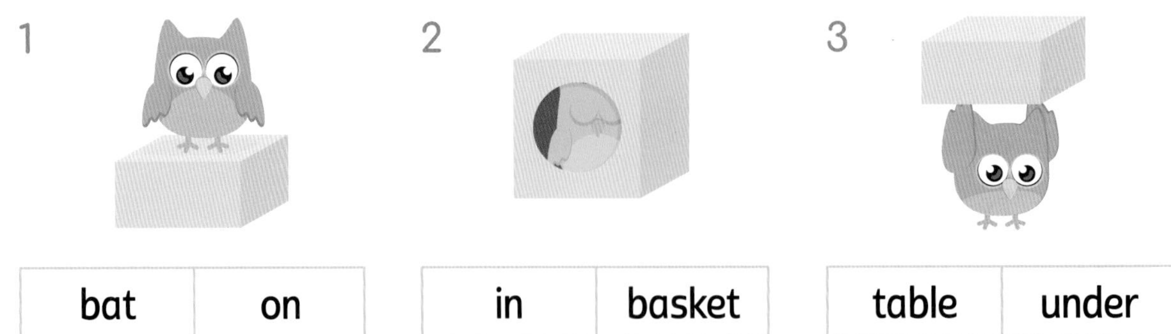

Ⓑ 그림을 보고, 알맞은 단어와 연결한 다음 우리말 뜻을 쓰세요.

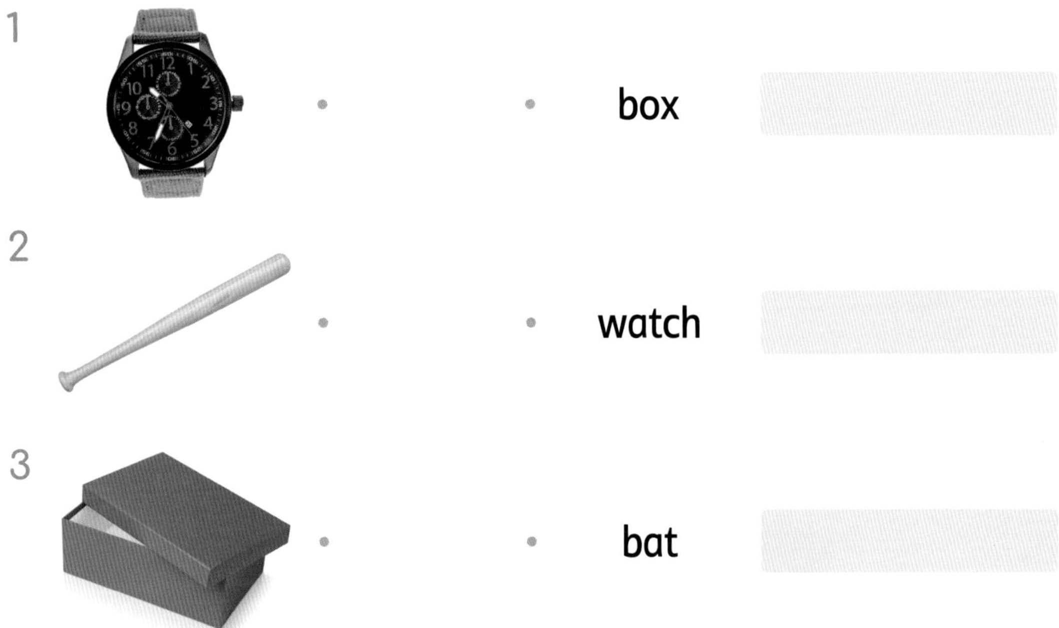

Ⓒ 우리말에 맞게 알파벳을 바르게 배열하여 단어를 쓰세요.

1 어디에 ______ (e, h, e, r, w)

2 탁자 ______ (a, b, e, l, t)

3 바구니 ______ (a, b, e, k, s, t)

4 공책 ______ (b, e, k, n, t, o, o, o)

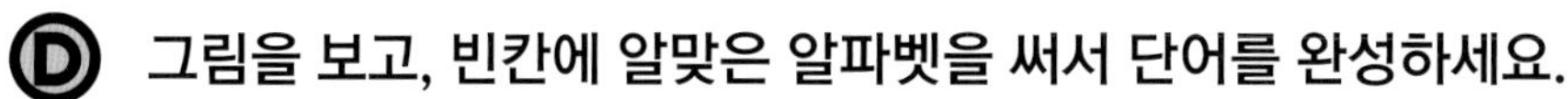

Ⓓ 그림을 보고, 빈칸에 알맞은 알파벳을 써서 단어를 완성하세요.

1 ☐☐sket

2 ☐☐der

3 ☐☐☐ch

Ⓔ 우리말에 맞게 알맞은 단어를 써서 문장을 완성하세요.

1 그것은 상자 위에 있어.

It is _____ the _____.

2 그것은 바구니 안에 있어.

It is _____ the _____.

3 그것은 탁자 아래에 있어.

It is _____ the _____.

자기 물건이 어디에 있는지 물을 때는 Where is my 뒤에 물건을 나타내는 단어를 넣어 말하고, 대답은 It is 뒤에 장소를 나타내는 단어를 넣어 말할 수 있어요.

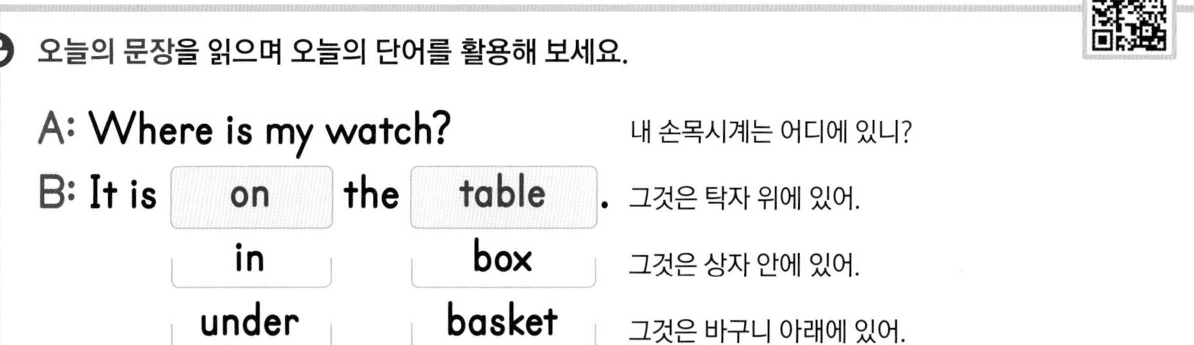

오늘의 문장을 읽으며 오늘의 단어를 활용해 보세요.

A: Where is my watch? 내 손목시계는 어디에 있니?

B: It is on the table. 그것은 탁자 위에 있어.

in / box 그것은 상자 안에 있어.

under / basket 그것은 바구니 아래에 있어.

DAY 27

집 안

STEP 1 오늘의 단어를 듣고, 그림에서 찾아 번호를 쓰세요.

찾지 못한 단어는 STEP 2에서 확인하세요.

STEP 2 오늘의 단어를 확인하고, 따라 말하세요.

bathroom 화장실

bedroom 침실

kitchen 주방, 부엌

living room 거실

door 문

window 창문

wall 벽

floor 바닥

garden 정원

garage 차고

STEP 3 오늘의 단어를 따라 쓰세요.

bathroom 화장실

bedroom 침실

kitchen 주방, 부엌

living room 거실

door 문

window 창문

wall 벽

floor 바닥

garden 정원

garage 차고

DAY 27 Test

Ⓐ 그림을 보고, 알맞은 단어를 골라 기호를 쓰세요.

보기 ⓐ living room ⓑ kitchen ⓒ bedroom

Ⓑ 그림을 보고, 알맞은 단어와 우리말 뜻을 연결하세요.

Ⓒ 우리말에 맞게 빈칸에 알맞은 알파벳을 써서 단어를 완성하세요.

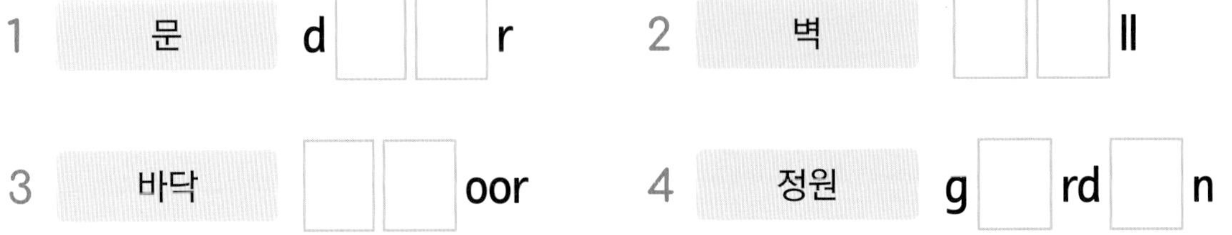

1 문 d □ □ r
2 벽 □ □ ll
3 바닥 □ □ oor
4 정원 g □ rd □ n

D 그림을 보고, 알맞은 단어를 찾아 쓰세요.

1

2

3

보기 bathroom door kitchen

E 우리말에 맞게 알맞은 단어를 써서 문장을 완성하세요.

1 나는 거실에 있어.

I am in the ______.

2 그는 침실에 있어.

He is in the ______.

3 그녀는 화장실에 있어.

She is in the ______.

사람이 집 안 어디에 있는지 말할 때는
I am / He is / She is in the 뒤에
방을 나타내는 단어를 넣어 말할 수 있어요.

 오늘의 문장을 읽으며 오늘의 단어를 활용해 보세요.

I am	in the	kitchen	.	나는 주방에 있어.
My dad is		garage		나의 아빠는 차고에 계셔.
My sister is		living room		나의 언니는 거실에 있어.

DAY **28** 계 절

STEP 1 오늘의 단어를 듣고, 그림에서 찾아 동그라미 하세요.

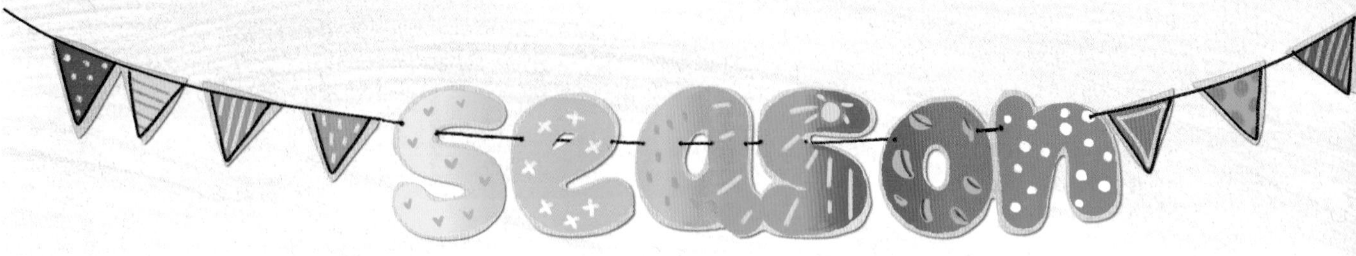
season

It is warm in spring.

찾지 못한 단어는 STEP 2에서 확인하세요.

STEP 2 오늘의 단어를 확인하고, 따라 말하세요.

season 계절

change 변하다

spring 봄

summer 여름

fall 가을

winter 겨울

warm 따뜻한

hot 더운, 뜨거운

cool 시원한

cold 추운, 차가운

STEP 3 오늘의 단어를 따라 쓰세요.

season
계절

change
변하다

spring
봄

summer
여름

fall
가을

winter
겨울

warm
따뜻한

hot
더운, 뜨거운

cool
시원한

cold
추운, 차가운

DAY 28 Test

Ⓐ 그림을 보고, 알맞은 단어를 고르세요.

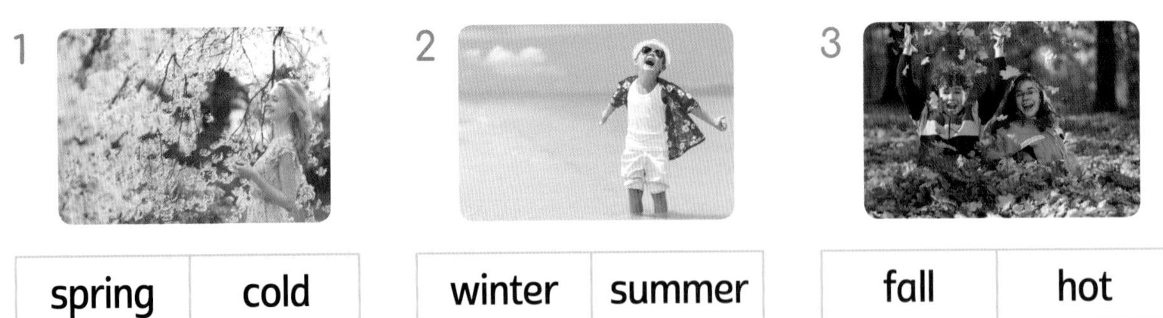

1 spring | cold

2 winter | summer

3 fall | hot

Ⓑ 그림을 보고, 알맞은 단어와 연결한 다음 우리말 뜻을 쓰세요.

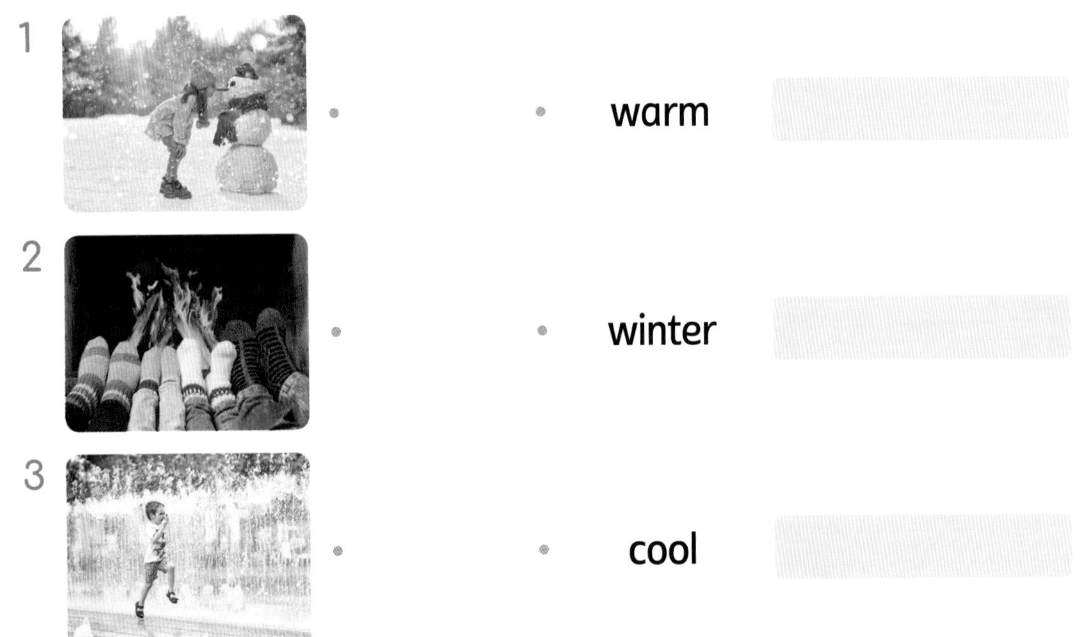

1 • • warm

2 • • winter

3 • • cool

Ⓒ 우리말에 맞게 알파벳을 바르게 배열하여 단어를 쓰세요.

1 더운, 뜨거운 (o, t, h)

2 추운, 차가운 (c, d, l, o)

3 변하다 (a, c, e, g, h, n)

4 계절 (a, e, n, s, o, s)

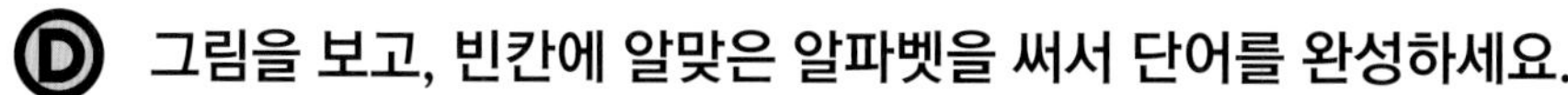

Ⓓ 그림을 보고, 빈칸에 알맞은 알파벳을 써서 단어를 완성하세요.

1 ☐☐t

2 ☐☐nter

3 ☐☐☐ing

Ⓔ 우리말에 맞게 알맞은 단어를 써서 문장을 완성하세요.

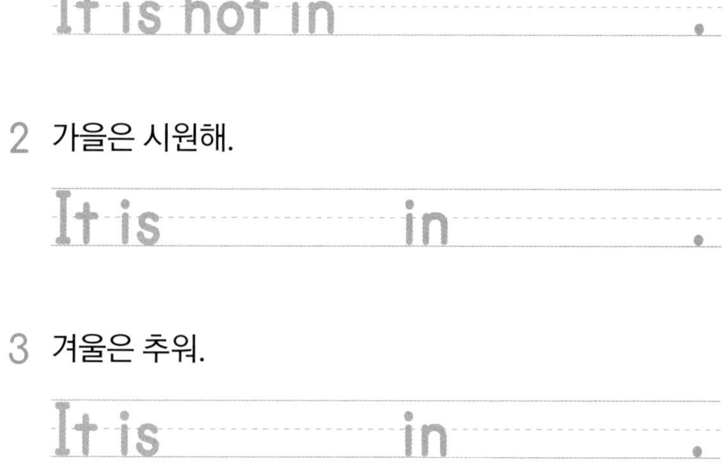

1 여름은 더워.

It is hot in ________.

2 가을은 시원해.

It is ________ in ________.

3 겨울은 추워.

It is ________ in ________.

요일, 날씨, 계절, 시간 등을 말할 때 사용하는 it은 해석하지 않아요.
in은 연도, 계절, 월 등 비교적 긴 시간을 나타내는 단어 앞에 와요.

오늘의 문장을 읽으며 오늘의 단어를 활용해 보세요.

It is		in			
	warm		spring	.	봄은 따뜻해.
	hot		summer		여름은 더워.
	cool		fall		가을은 시원해.
	cold		winter		겨울은 추워.

Review Test

A 다음 단어의 우리말 뜻을 쓰세요.

1 spring ______
2 busy ______
3 where ______
4 bathroom ______
5 summer ______
6 lazy ______
7 on ______
8 bedroom ______
9 fall ______
10 thick ______
11 in ______
12 kitchen ______
13 winter ______
14 thin ______
15 under ______
16 living room ______
17 warm ______
18 poor ______
19 watch ______
20 door ______

B 다음 우리말 뜻에 해당하는 단어를 쓰세요.

1 더운, 뜨거운 ______
2 부유한 ______
3 공책 ______
4 창문 ______
5 시원한 ______
6 똑똑한 ______
7 야구 방망이 ______
8 정원 ______
9 추운, 차가운 ______
10 어리석은 ______
11 상자 ______
12 차고 ______
13 변하다 ______
14 부드러운 ______
15 바구니 ______
16 벽 ______
17 계절 ______
18 딱딱한 ______
19 탁자 ______
20 바닥 ______

정답 214 쪽

C 그림을 보고, 알맞은 단어를 골라 문장을 완성하세요.

1 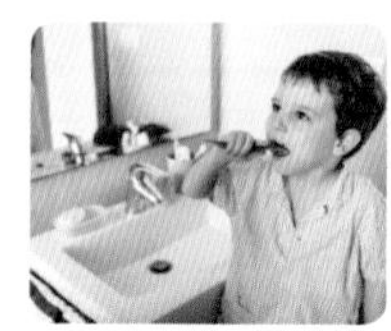 How (poor / rich)!

2  I am in the (bathroom / bedroom).

3  It is (hot / cold) in summer.

4  It is warm in (spring / fall).

5 It is (under / on / in) the box.

D 우리말에 맞게 알맞은 단어를 써서 문장을 완성하세요.

1 그녀는 주방에 있어. She is in the ____________.

2 저 개미를 봐. 정말 바쁘구나! Look at that ant. How ____________!

3 내 시계는 어디에 있니? ____________ is my ____________?

4 그것은 탁자 위에 있어. It is ____________ the ____________.

5 겨울은 추워. It is ____________ in ____________.

DAY 29

시각과 일과

오늘의 단어를 듣고, 그림에서 찾아 동그라미 하세요.

08:20

08:40

It is twelve o'clock.
It is time for lunch.

찾지 못한 단어는 STEP 2에서 확인하세요.

오늘의 문장 It is twelve o'clock.
It is time for lunch.

오늘의 단어를 확인하고, 따라 말하세요.

breakfast
아침 식사

lunch
점심 식사

dinner 저녁 식사

school 학교

time 시간

o'clock 정각 ~시

20

twenty 20, 스물

30

thirty 30, 서른

40

forty 40, 마흔

50

fifty 50, 쉰

오늘의 단어를 따라 쓰세요.

breakfast
아침 식사

lunch
점심 식사

dinner
저녁 식사

school
학교

time
시간

o'clock
정각 ~시

twenty
20, 스물

thirty
30, 서른

forty
40, 마흔

fifty
50, 쉰

DAY 29 Test

A 그림을 보고, 알맞은 단어를 고르세요.

1 

twenty	breakfast

2 

lunch	time

3 

dinner	forty

B 그림을 보고, 알맞은 단어와 우리말 뜻을 연결하세요.

1 

2 

3 

1	o'clock	시간
2	school	학교
3	time	정각 ~시

C 우리말에 맞게 빈칸에 알맞은 알파벳을 써서 단어를 완성하세요.

1 20, 스물  enty

2 30, 서른  irty

3 40, 마흔 f  ty

4 50, 쉰 f ☐☐ ty

정답 205쪽

D 그림을 보고, 알맞은 단어를 찾아 쓰세요.

1 

2

3 

보기 twenty lunch school

E 우리말에 맞게 알맞은 단어를 써서 문장을 완성하세요.

1 8시 30분이야.

It is eight ______.

2 아침 먹을 시간이야.

It is time for ______.

3 학교 갈 시간이야.

It is time for ______.

시각을 말할 때는 「It is + 시 + 분.」으로, 정각은 「It is + 시 + o'clock」이라고 말해요. 일과를 말할 때는 It is time for 뒤에 일과를 나타내는 단어를 넣어 말할 수 있어요.

 오늘의 문장을 읽으며 오늘의 단어를 활용해 보세요.

It is		It is time for		
	twelve o'clock		lunch	12시야. 점심 먹을 시간이야.
	seven forty		dinner	7시 40분이야. 저녁 먹을 시간이야.
	eight fifty		school	8시 50분이야. 학교 갈 시간이야.

DAY 30 악 기

STEP 1 오늘의 단어를 듣고, 그림에서 찾아 동그라미 하세요.

찾지 못한 단어는 STEP 2에서 확인하세요.

오늘의 문장 I can play the piano.

오늘의 단어를 확인하고, 따라 말하세요.

piano 피아노

guitar 기타

drum 드럼

violin 바이올린

bell 종

cello 첼로

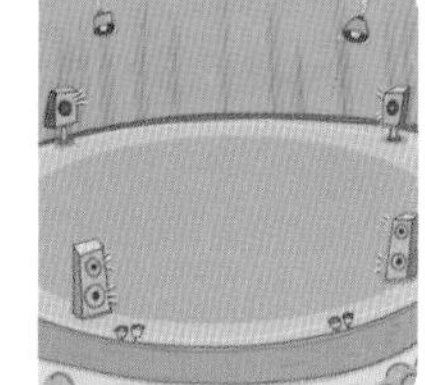

stage 무대

speaker 스피커

camera 카메라

band 밴드, 악단

오늘의 단어를 따라 쓰세요.

piano 피아노

guitar 기타

drum 드럼

violin 바이올린

bell 종

cello 첼로

stage 무대

speaker 스피커

camera 카메라

band 밴드, 악단

DAY 30 Test

Ⓐ 그림을 보고, 알맞은 단어를 골라 기호를 쓰세요.

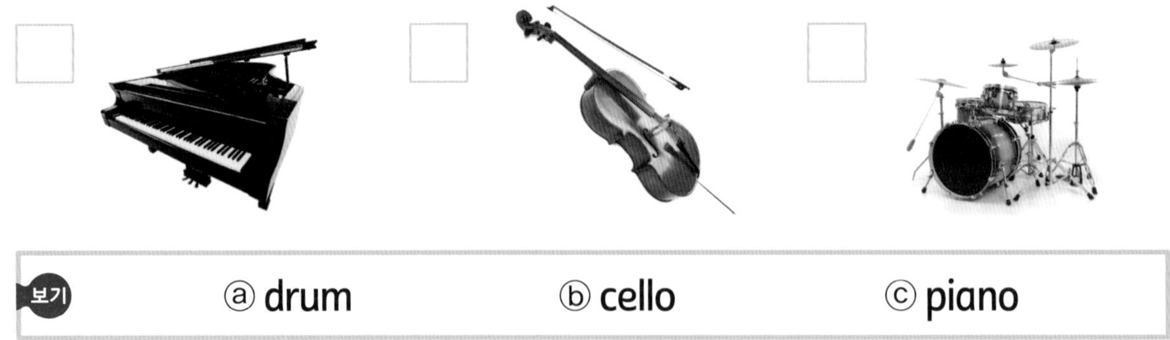

보기 ⓐ drum ⓑ cello ⓒ piano

Ⓑ 그림을 보고, 알맞은 단어와 연결한 다음 우리말 뜻을 쓰세요.

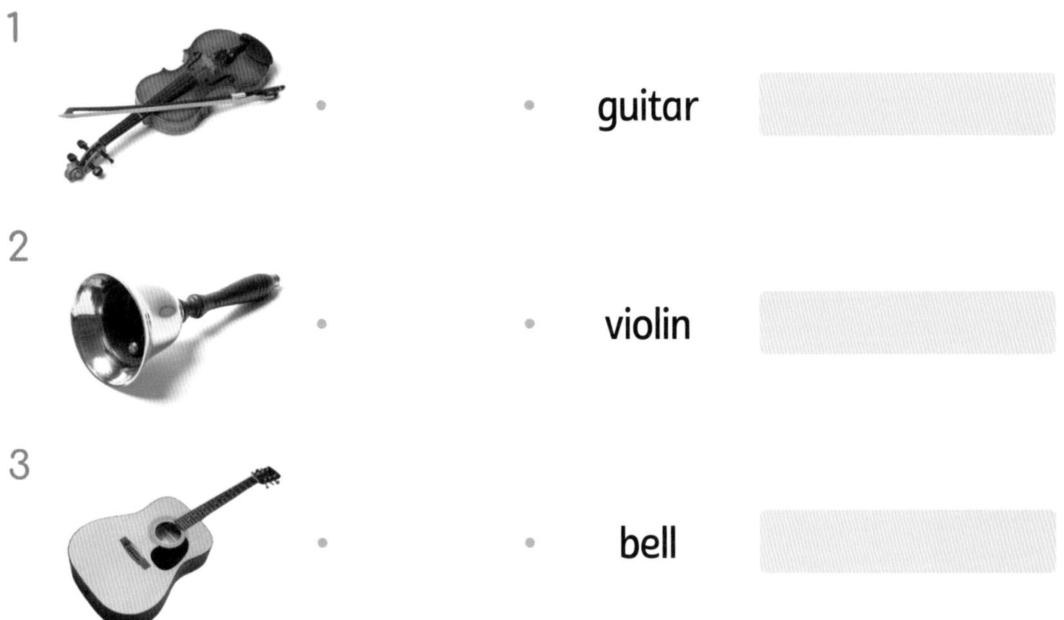

1 • • guitar

2 • • violin

3 • • bell

Ⓒ 우리말에 맞게 알파벳을 바르게 배열하여 단어를 쓰세요.

1 밴드, 악단 (a, b, d, n)

2 무대 (a, e, g, s, t)

3 카메라 (a, r, e, m, a, c)

4 스피커 (r, e, k, e, a, p, s)

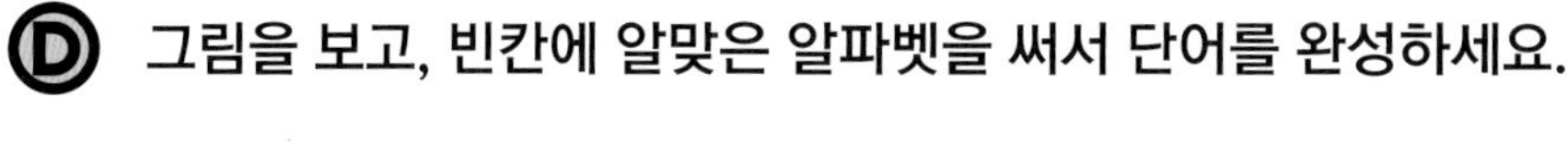

D 그림을 보고, 빈칸에 알맞은 알파벳을 써서 단어를 완성하세요.

1 ca ☐☐ ra

2 ☐☐ olin

3 ☐☐☐ d

E 우리말에 맞게 알맞은 단어를 써서 문장을 완성하세요.

1 나는 첼로를 연주할 수 있어.

I can play the ____________ .

2 나는 기타를 연주할 수 있어.

I can play the ____________ .

3 나는 바이올린을 연주할 수 있어.

I can play the ____________ .

play는 '놀다', '(운동을) 하다'라는 뜻 외에 '(악기를) 연주하다'라는 뜻도 있어요. play 뒤에 나오는 악기 단어 앞에는 항상 the를 넣는 것을 잊지 마세요.

 오늘의 문장을 읽으며 오늘의 단어를 활용해 보세요.

I can play the piano. 나는 피아노를 연주할 수 있어.

bells 나는 종을 연주할 수 있어.

drums 나는 드럼을 연주할 수 있어.

DAY **31** 지금 하는 일

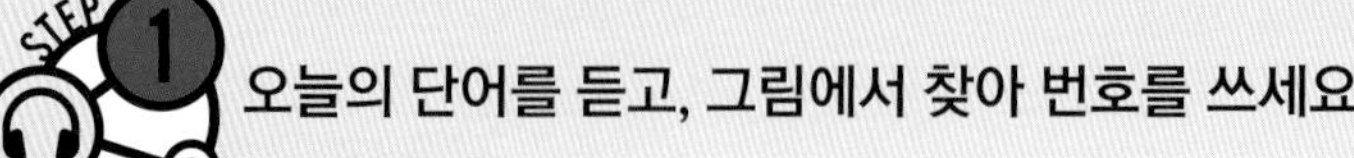

오늘의 단어를 듣고, 그림에서 찾아 번호를 쓰세요.

찾지 못한 단어는 STEP 2에서 확인하세요.

오늘의 문장 I am studying. He is sleeping.

STEP 2 오늘의 단어를 확인하고, 따라 말하세요.

cook 요리하다

clean 청소하다

study 공부하다

draw 그리다

eat 먹다

sleep 자다

read 읽다

help 돕다

newspaper 신문

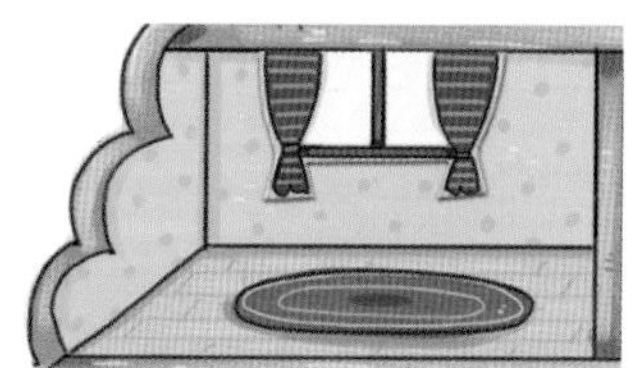
room 방

STEP 3 오늘의 단어를 따라 쓰세요.

cook
요리하다

clean
청소하다

study
공부하다

draw
그리다

eat
먹다

sleep
자다

read
읽다

help
돕다

newspaper
신문

room
방

DAY 31 Test

Ⓐ 그림을 보고, 알맞은 단어를 고르세요.

Ⓑ 그림을 보고, 알맞은 단어와 우리말 뜻을 연결하세요.

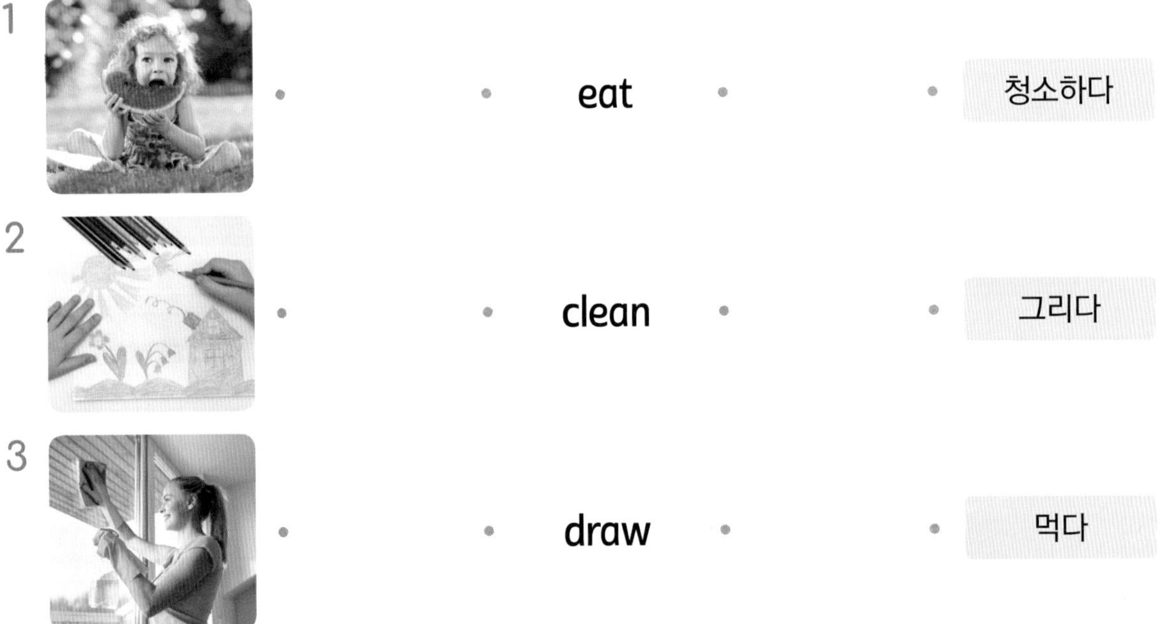

Ⓒ 우리말에 맞게 빈칸에 알맞은 알파벳을 써서 단어를 완성하세요.

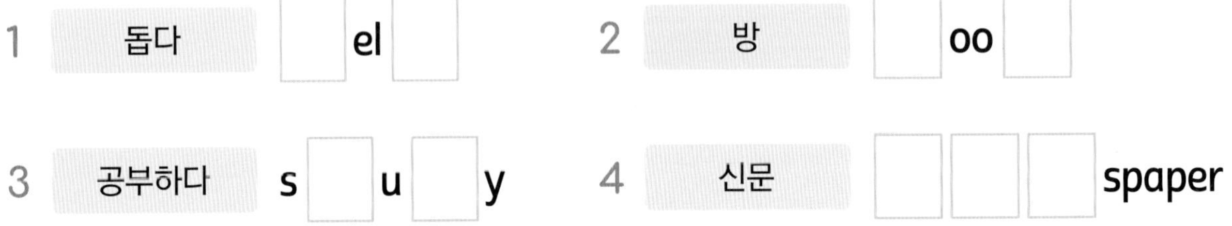

1 돕다 el
2 방 oo
3 공부하다 s u y
4 신문 spaper

Ⓓ 우리말에 맞게 알맞은 단어를 쓰세요.

1 그리다 — 그리고 있는

draw + ing → drawing

2 청소하다 — 청소하고 있는

clean + ing →

3 읽다 — 읽고 있는

read + ing →

4 돕다 — 돕고 있는

help + ing →

5 먹다 — 먹고 있는

eat + ing →

6 공부하다 — 공부하고 있는

study + ing →

Ⓔ 우리말에 맞게 알맞은 단어를 써서 문장을 완성하세요.

1 그녀는 공부하고 있어.

2 그들은 자고 있어.

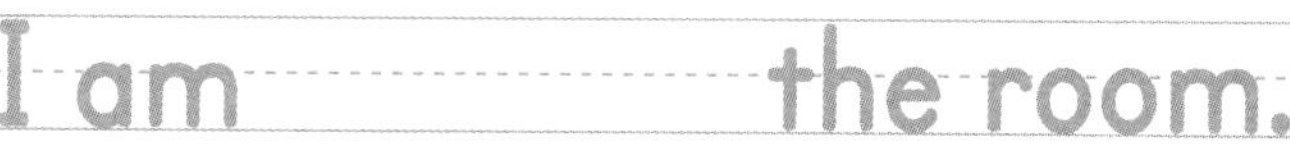

3 나는 방을 청소하고 있어.

I am the room.

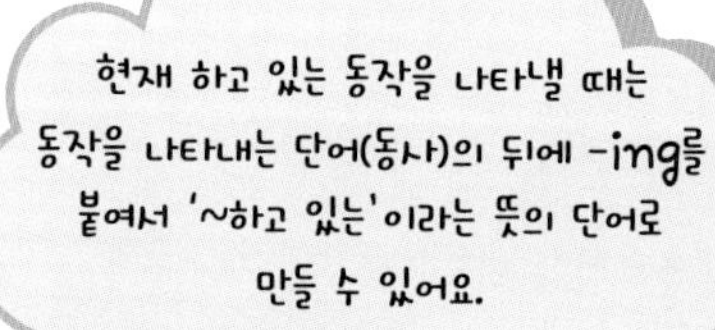

현재 하고 있는 동작을 나타낼 때는
동작을 나타내는 단어(동사)의 뒤에 -ing를
붙여서 '~하고 있는'이라는 뜻의 단어로
만들 수 있어요.

 오늘의 문장을 읽으며 오늘의 단어를 활용해 보세요.

I am studying . He is sleeping . 나는 공부하고 있어. 그는 자고 있어.

cooking eating 나는 요리하고 있어. 그는 먹고 있어.

DAY 32 반대말 2

STEP 1 오늘의 단어를 듣고, 그림에서 찾아 동그라미 하세요.

This room is bright.
2+3=□
4×□=100

찾지 못한 단어는 STEP 2에서 확인하세요.

오늘의 문장 This room is bright.

STEP 2 오늘의 단어를 확인하고, 따라 말하세요.

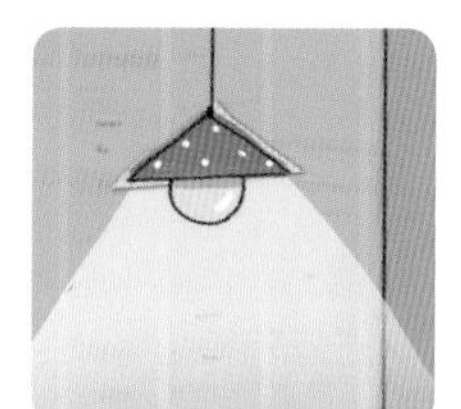

bright 밝은

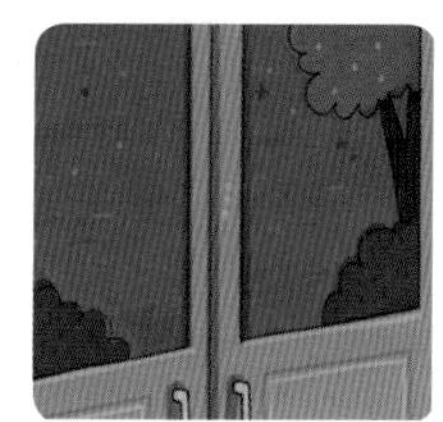

dark 어두운

same 같은

different 다른

easy 쉬운

difficult 어려운

dry 마른

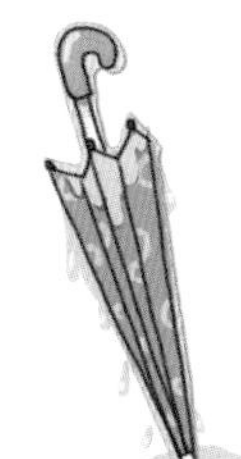

wet 젖은

high 높은

low 낮은

STEP 3 오늘의 단어를 따라 쓰세요.

bright
밝은

dark
어두운

same
같은

different
다른

easy
쉬운

difficult
어려운

dry
마른

wet
젖은

high
높은

low
낮은

DAY 32 Test

A 그림에 알맞은 단어를 골라 기호를 쓰세요.

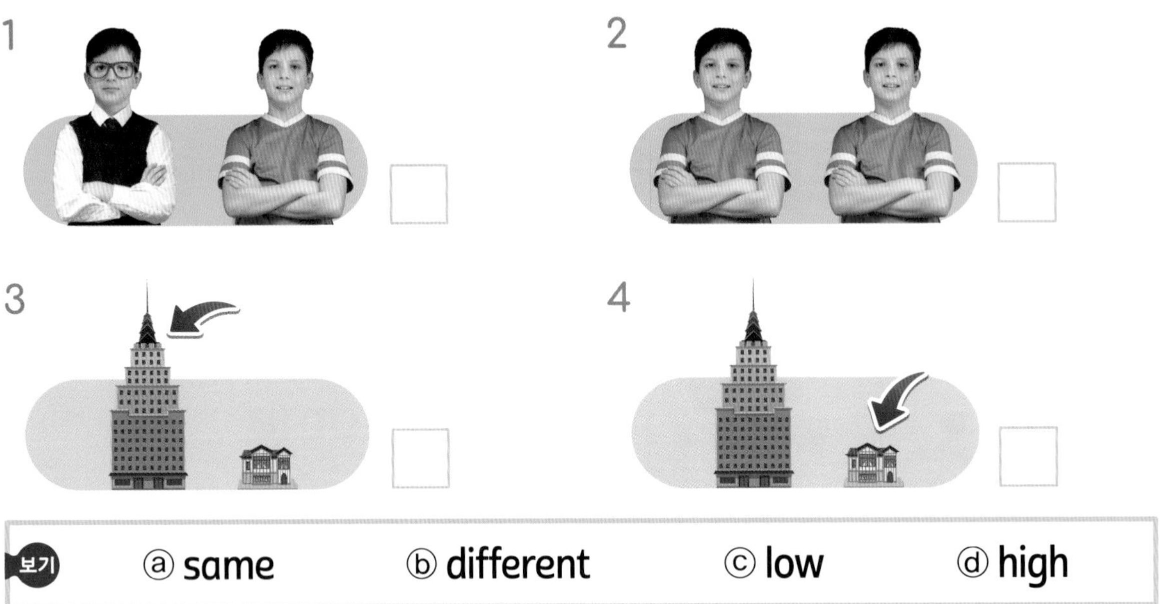

1 ☐ 2 ☐

3 ☐ 4 ☐

보기 ⓐ same ⓑ different ⓒ low ⓓ high

B 단어를 읽고, 반대말끼리 연결하세요.

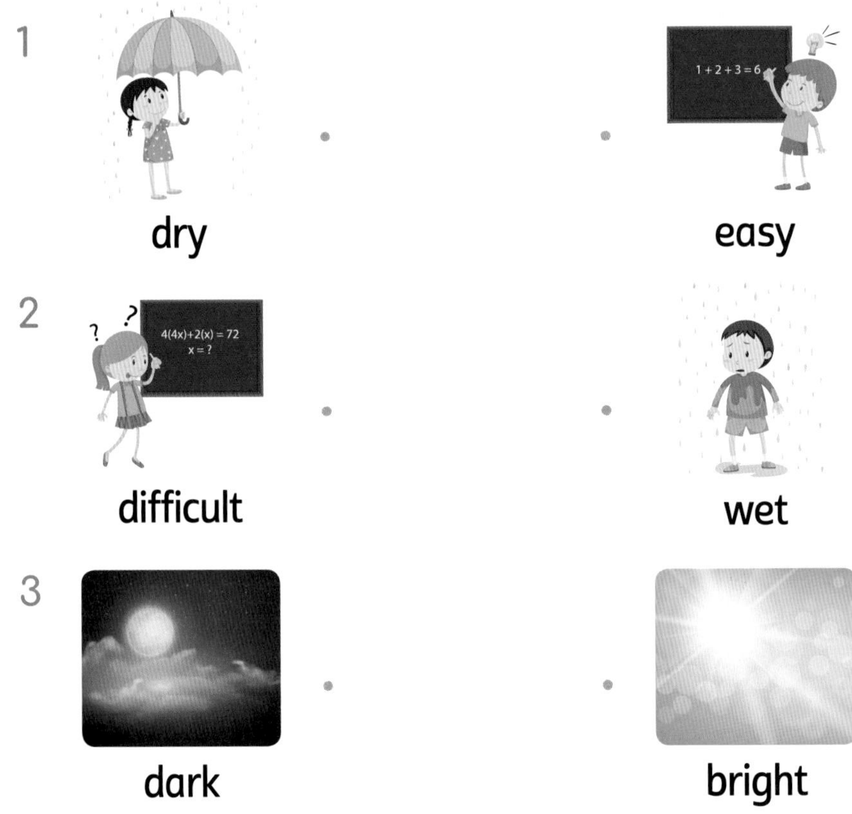

1 dry • • easy

2 difficult • • wet

3 dark • • bright

Ⓒ 우리말에 맞게 알맞은 단어를 찾아 쓰세요.

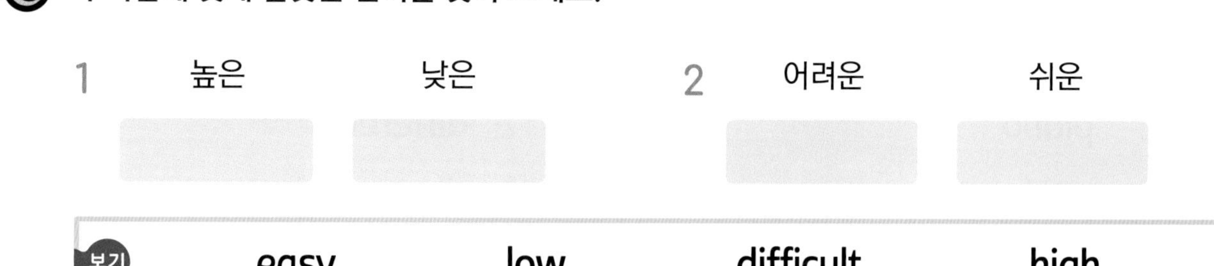

Ⓓ 우리말에 맞게 알맞은 단어를 써서 문장을 완성하세요.

1 이 개는 젖어 있어.

2 그 인형들은 같은 거야.

3 그 야구 방망이들은 다른 거야.

'~이다'라는 뜻의 am, are, is 뒤에 same이 올 때는 항상 same 앞에 the를 넣어야 해요.

오늘의 문장을 읽으며 오늘의 단어를 활용해 보세요.
This room is bright . 이 방은 환해.
dark 이 방은 어두워.
That bread is dry . 저 빵은 말라 있어.
wet 저 빵은 젖어 있어.

Review Test

A 다음 단어의 우리말 뜻을 쓰세요.

1 time ________
2 piano ________
3 cook ________
4 bright ________
5 breakfast ________
6 guitar ________
7 clean ________
8 dark ________
9 lunch ________
10 drum ________
11 study ________
12 different ________
13 dinner ________
14 violin ________
15 draw ________
16 same ________
17 school ________
18 bell ________
19 eat ________
20 difficult ________

B 다음 우리말 뜻에 해당하는 단어를 쓰세요.

1 정각 ~시 ________
2 무대 ________
3 잠자다 ________
4 쉬운 ________
5 20, 스물 ________
6 카메라 ________
7 읽다 ________
8 젖은 ________
9 30, 서른 ________
10 첼로 ________
11 돕다 ________
12 마른 ________
13 40, 마흔 ________
14 스피커 ________
15 신문 ________
16 높은 ________
17 50, 쉰 ________
18 밴드, 악단 ________
19 방 ________
20 낮은 ________

정답 214쪽

C 그림을 보고, 알맞은 단어를 골라 문장을 완성하세요.

1 

It is time for (lunch / dinner).

2 

I can play the (piano / guitar).

3 

I am (cleaning / drawing) the room.

4 

She is (eating / reading) a newspaper.

5 

The sun is (bright / dark).

D 우리말에 맞게 알맞은 단어를 써서 문장을 완성하세요.

1 나는 드럼을 칠 수 있어. I can play the ____________s.

2 7시 30분이야. It is seven ____________.

3 아침 먹을 시간이야. It is ____________ for ____________.

4 그는 공부하고 있어. He is ____________.
나는 요리하고 있어. I am ____________.

5 바닥이 젖어 있어. The floor is ____________.

DAY 33 옷 1

STEP 1 오늘의 단어를 듣고, 그림에서 찾아 동그라미 하세요.

찾지 못한 단어는 STEP 2에서 확인하세요.

오늘의 단어를 확인하고, 따라 말하세요.

cap 야구 모자

hat 모자

skirt 치마

coat 코트

jacket 재킷

T-shirt 티셔츠

sweater 스웨터

wear 입다

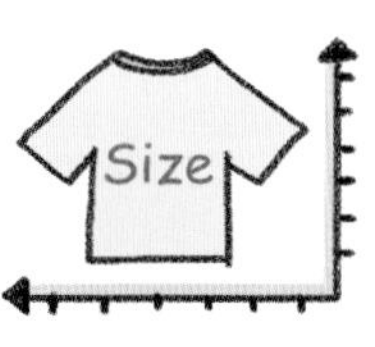

size 크기

large 큰

오늘의 단어를 따라 쓰세요.

cap 야구 모자

hat 모자

skirt 치마

coat 코트

jacket 재킷

T-shirt 티셔츠

sweater 스웨터

wear 입다

size 크기

large 큰

Ⓐ 그림을 보고, 알맞은 단어를 고르세요.

1		2		3	
hat	cap	sweater	T-shirt	skirt	jacket

Ⓑ 그림을 보고, 알맞은 단어와 우리말 뜻을 연결하세요.

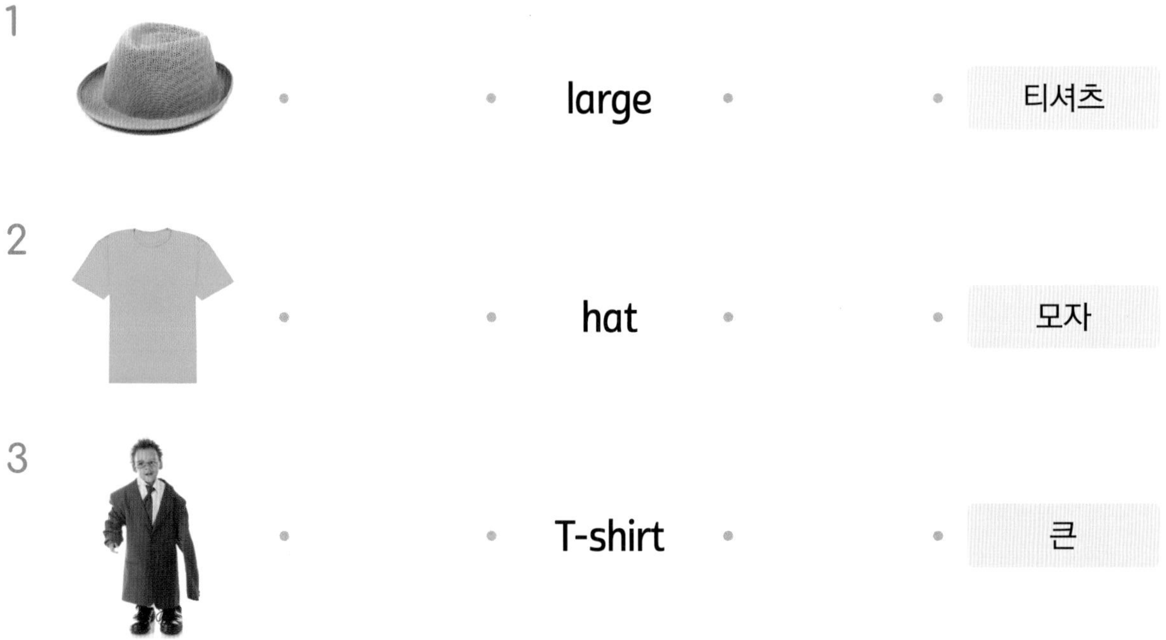

1	large	티셔츠
2	hat	모자
3	T-shirt	큰

Ⓒ 우리말에 맞게 알맞은 단어에 ✓ 표 하세요.

1	크기	☐ size	☐ large
2	입다	☐ wear	☐ sweater
3	코트	☐ jacket	☐ coat

D 그림을 보고, 알맞은 단어를 골라 문장을 완성하세요.

1 He is wearing a (cap / hat).
그는 야구 모자를 쓰고 있어.

2 He is wearing a (sweater / T-shirt).
그는 티셔츠를 입고 있어.

3 She is wearing a (cap / hat).
그녀는 모자를 쓰고 있어.

4 She is wearing a (coat / skirt).
그녀는 스커트를 입고 있어.

E 우리말에 맞게 알맞은 단어를 써서 문장을 완성하세요.

1 그는 티셔츠를 입고 있어.

He is wearing a ______ .

2 그녀는 야구 모자를 쓰고 있어.

She is wearing a ______ .

3 나는 재킷을 입고 있어.

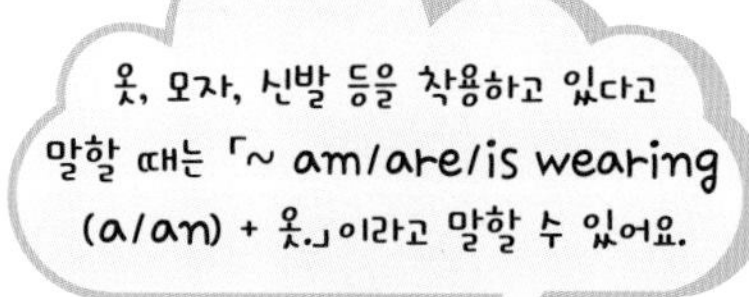

옷, 모자, 신발 등을 착용하고 있다고
말할 때는 「~ am/are/is wearing
(a/an) + 옷.」이라고 말할 수 있어요.

 오늘의 문장을 읽으며 오늘의 단어를 활용해 보세요.

He is wearing a 

. 그는 모자를 쓰고 있어.

coat 그는 코트를 입고 있어.

sweater 그는 스웨터를 입고 있어.

DAY 34 옷 2

STEP 1 오늘의 단어를 듣고, 선을 연결하여 그림을 완성하세요.

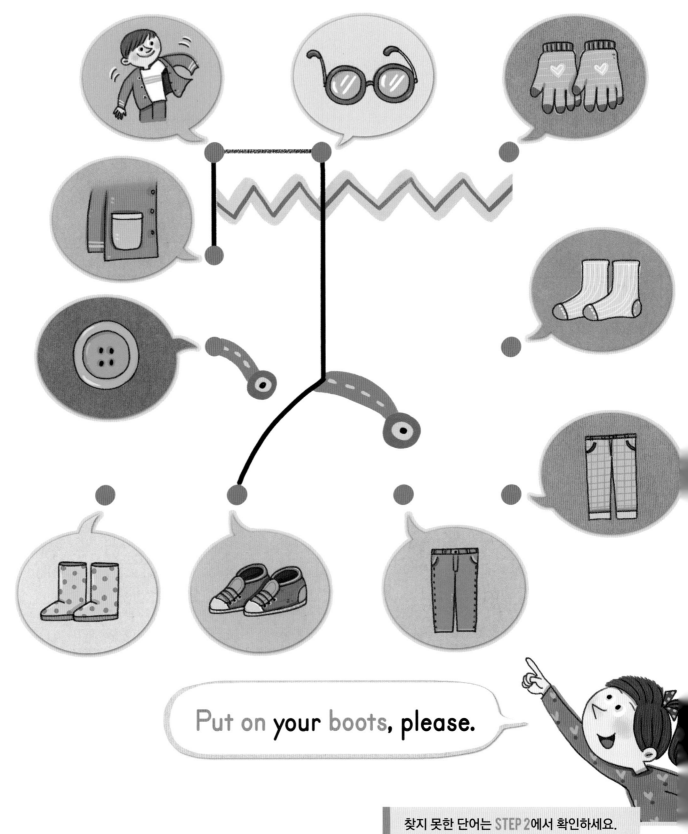

Put on your boots, please.

찾지 못한 단어는 STEP 2에서 확인하세요.

STEP 2 오늘의 단어를 확인하고, 따라 말하세요.

put on ~을 입다

glasses 안경

gloves 장갑

socks 양말

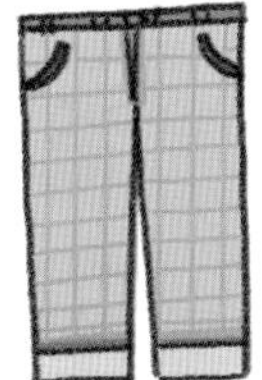

pants 바지

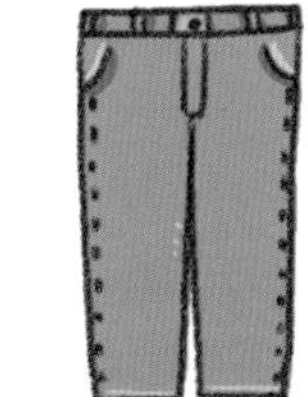

jeans 청바지

shoes 신발

boots 장화, 부츠

button 단추

pocket 호주머니

STEP 3 오늘의 단어를 따라 쓰세요.

put on
~을 입다

glasses
안경

gloves
장갑

socks
양말

pants
바지

jeans
청바지

shoes
신발

boots
장화, 부츠

button
단추

pocket
호주머니

Ⓐ 그림을 보고, 알맞은 단어를 고르세요.

1		2		3	
boots	socks	pocket	button	gloves	glasses

Ⓑ 그림을 보고, 알맞은 단어와 우리말 뜻을 연결하세요.

1 • • gloves • • 신발

2 • • pocket • • 장갑

3 • • shoes • • 호주머니

Ⓒ 우리말에 맞게 알맞은 단어에 ✓ 표 하세요.

1	청바지	☐ jeans	☐ pants
2	~을 입다	☐ pocket	☐ put on
3	장화, 부츠	☐ boots	☐ shoes

D 우리말에 맞게 알파벳을 바르게 배열하여 단어를 쓰세요.

1 바지 ______ (a, p, t, n, s)

2 안경 ______ (s, s, l, a, g, s, e)

3 호주머니 ______ (o, c, p, e, k, t)

4 단추 ______ (u, t, b, t, n, o)

E 우리말에 맞게 알맞은 단어를 써서 문장을 완성하세요.

1 양말을 신어.

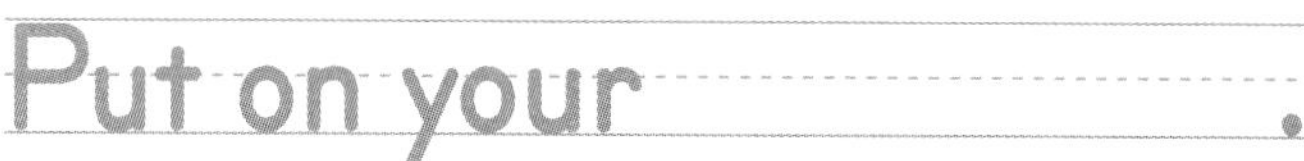

Put on your ______.

2 장갑을 껴.

Put on your ______.

3 청바지를 입어.

Put on your ______.

boots, glasses, gloves, jeans, pants, shoes, socks와 같이 두 개가 짝을 이루는 단어는 뒤에 -(e)s가 붙어요.

오늘의 문장을 읽으며 오늘의 단어를 활용해 보세요.

Put on your boots, please. 장화를 신으세요.

Put on your gloves, please. 장갑을 끼세요.

Put on your pants, please. 바지를 입으세요.

35 음식의 맛

DAY

오늘의 단어를 듣고, 알맞은 그림끼리 연결하세요.

How is your ice cream?
It is sweet.

찾지 못한 단어는 STEP 2에서 확인하세요.

오늘의 문장 A: How is your ice cream?
B: It is sweet.

STEP 2 오늘의 단어를 확인하고, 따라 말하세요.

sweet 단, 달콤한

salty 짠

sour 신, 새콤한

spicy 매운, 매콤한

bitter 쓴

ice cream 아이스크림

hamburger 햄버거

lemonade 레모네이드

curry 카레

tea 차

STEP 3 오늘의 단어를 따라 쓰세요.

sweet 단, 달콤한

salty 짠

sour 신, 새콤한

spicy 매운, 매콤한

bitter 쓴

ice cream 아이스크림

hamburger 햄버거

lemonade 레모네이드

curry 카레

tea 차

DAY 35 Test

Ⓐ 그림을 보고, 알맞은 단어를 고르세요.

Ⓑ 그림을 보고, 알맞은 단어와 우리말 뜻을 연결하세요.

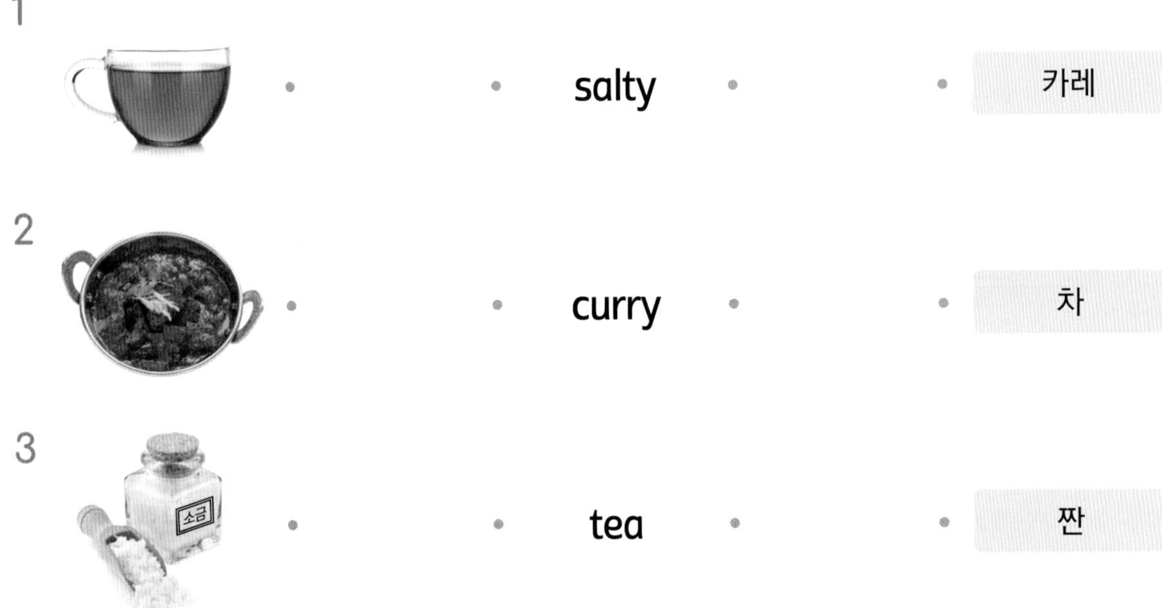

Ⓒ 우리말에 맞게 빈칸에 알맞은 알파벳을 써서 단어를 완성하세요.

1 단, 달콤한 ☐☐eet

2 쓴 bi☐☐er

3 신, 새콤한 ☐ou☐

4 매운 s☐☐cy

D 그림을 보고, 알맞은 단어에 ✓ 표 하여 문장을 완성하세요.

1 It is ☐ salty. ☐ sweet.

2 It is ☐ bitter. ☐ sour.

3 It is ☐ spicy. ☐ sweet.

4 It is ☐ sour. ☐ salty.

E 우리말에 맞게 알맞은 단어를 써서 문장을 완성하세요.

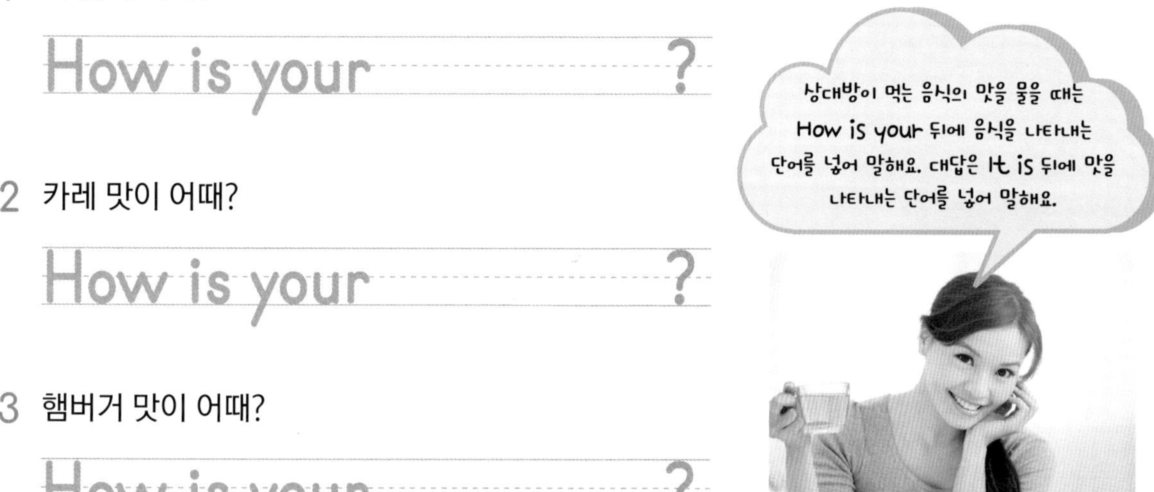

상대방이 먹는 음식의 맛을 물을 때는
How is your 뒤에 음식을 나타내는
단어를 넣어 말해요. 대답은 It is 뒤에 맛을
나타내는 단어를 넣어 말해요.

1 차 맛이 어때?

How is your ________?

2 카레 맛이 어때?

How is your ________?

3 햄버거 맛이 어때?

How is your ________?

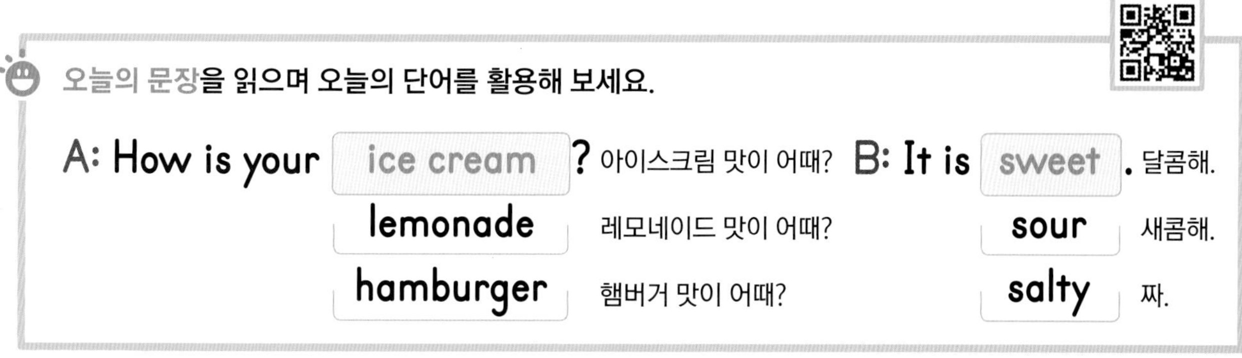

오늘의 문장을 읽으며 오늘의 단어를 활용해 보세요.

A: How is your ice cream? 아이스크림 맛이 어때? B: It is sweet. 달콤해.

lemonade 레모네이드 맛이 어때? sour 새콤해.

hamburger 햄버거 맛이 어때? salty 짜.

DAY 36 주방 물건

STEP 1 오늘의 단어를 듣고, 숨은 그림을 찾아 동그라미 하세요.

There is a bowl in the kitchen.

찾지 못한 단어는 STEP 2에서 확인하세요.

오늘의 문장 There is a bowl in the kitchen.

STEP 2 오늘의 단어를 확인하고, 따라 말하세요.

bowl 그릇

dish 접시

cup 컵

pan 팬, 프라이팬

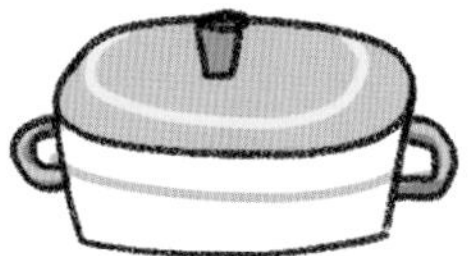

pot 냄비, 솥

kettle 주전자

spoon
숟가락

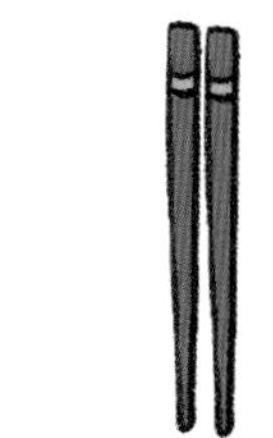

chopsticks
젓가락

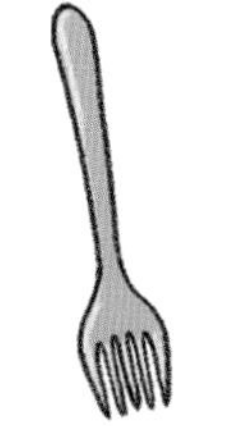

fork 포크

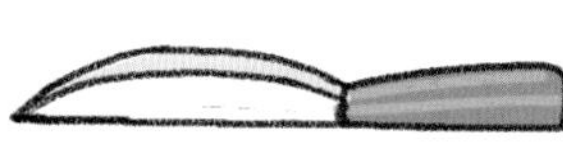

knife 칼, 나이프

STEP 3 오늘의 단어를 따라 쓰세요.

bowl
그릇

dish
접시

cup
컵

pan
팬, 프라이팬

pot
냄비, 솥

kettle
주전자

spoon
숟가락

chopsticks
젓가락

fork
포크

knife
칼, 나이프

DAY 36 Test

A 그림을 보고, 알맞은 단어를 고르세요.

bowl	dish

kettle	cup

pan	pot

B 그림을 보고, 알맞은 단어를 골라 기호를 쓰세요.

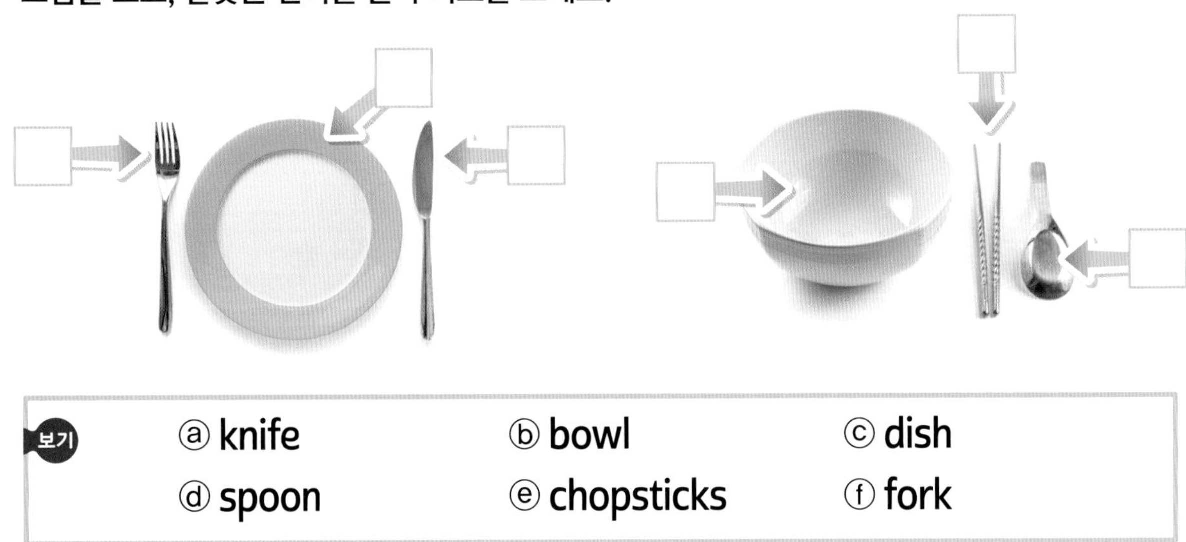

보기

ⓐ knife	ⓑ bowl	ⓒ dish
ⓓ spoon	ⓔ chopsticks	ⓕ fork

C 우리말에 맞게 알맞은 단어에 ✓ 표 하세요.

1 냄비, 솥 ☐ cup ☐ pot

2 포크 ☐ fork ☐ pan

3 주전자 ☐ kettle ☐ knife

Ⓓ 그림을 보고, 알맞은 단어를 써서 문장을 완성하세요.

1 There is a p ☐ t in the kitchen.

2 There is a c ☐ ☐ in the kitchen.

3 There is a k ☐ ☐ ☐ le in the kitchen.

There is/are ~는 '~이 있다'는 뜻으로 뒤에 나오는 단어가 하나이거나 셀 수 없는 단어이면 There is를, 뒤에 나오는 단어가 둘 이상이면 There are를 사용해요.

Ⓔ 우리말에 맞게 알맞은 단어를 써서 문장을 완성하세요.

1 주방에 숟가락이 있어.

There is a ______ in the kitchen.

2 주방에 포크가 있어.

There is a ______ in the kitchen.

3 주방에 젓가락이 있어.

There are ______ in the kitchen.

오늘의 문장을 읽으며 오늘의 단어를 활용해 보세요.

There is a bowl in the kitchen. 주방에 그릇이 있어.
dish 주방에 접시가 있어.
knife 주방에 칼이 있어.

Review Test

A 다음 단어의 우리말 뜻을 쓰세요.

1	cap	______	11	sour	______
2	boots	______	12	cup	______
3	sweet	______	13	wear	______
4	bowl	______	14	jeans	______
5	hat	______	15	spicy	______
6	glasses	______	16	spoon	______
7	salty	______	17	coat	______
8	dish	______	18	pants	______
9	skirt	______	19	bitter	______
10	gloves	______	20	knife	______

B 다음 우리말 뜻에 해당하는 단어를 쓰세요.

1	재킷	______	11	레모네이드	______
2	신발	______	12	팬, 프라이팬	______
3	아이스크림	______	13	크기	______
4	포크	______	14	호주머니	______
5	티셔츠	______	15	카레	______
6	양말	______	16	냄비, 솥	______
7	햄버거	______	17	큰	______
8	젓가락	______	18	~을 입다	______
9	스웨터	______	19	차	______
10	단추	______	20	주전자	______

C 그림을 보고, 알맞은 단어를 골라 문장을 완성하세요.

1  How is your (ice cream / lemonade)?

2  It is (sour / sweet).

3  He is wearing a (coat / cap).

4  Put on your (gloves / glasses).

5  There is a (bowl / dish) in the kitchen.

D 우리말에 맞게 알맞은 단어를 써서 문장을 완성하세요.

1 그녀는 치마를 입고 있어. She is wearing a ________.

2 양말을 신으세요. Put on your ________, please.

3 주방에 젓가락이 있어. There are ________ in the kitchen.

4 카레 맛이 어때? How is your ________?

5 그것은 매워. It is ________.

감 각

오늘의 단어를 듣고, 그림에서 찾아 동그라미 하세요.

sound
taste
smell
feel
nice
fun
delicious
bad
calm
pretty

It tastes delicious.

찾지 못한 단어는 STEP 2에서 확인하세요.

오늘의 단어를 확인하고, 따라 말하세요.

delicious 맛있는

pretty 예쁜

calm 차분한

nice 좋은

fun 재미있는

bad 나쁜

sound ~처럼 들리다

feel 느끼다

taste 맛이 나다

smell 냄새가 나다

오늘의 단어를 따라 쓰세요.

delicious
맛있는

pretty
예쁜

calm
차분한

nice
좋은

fun
재미있는

bad
나쁜

sound
~처럼 들리다

feel
느끼다

taste
맛이 나다

smell
냄새가 나다

Ⓐ 그림을 보고, 알맞은 단어를 고르세요.

1		2		3	
calm	sound	delicious	fun	bad	pretty

Ⓑ 그림을 보고, 알맞은 단어와 연결한 다음 우리말 뜻을 쓰세요.

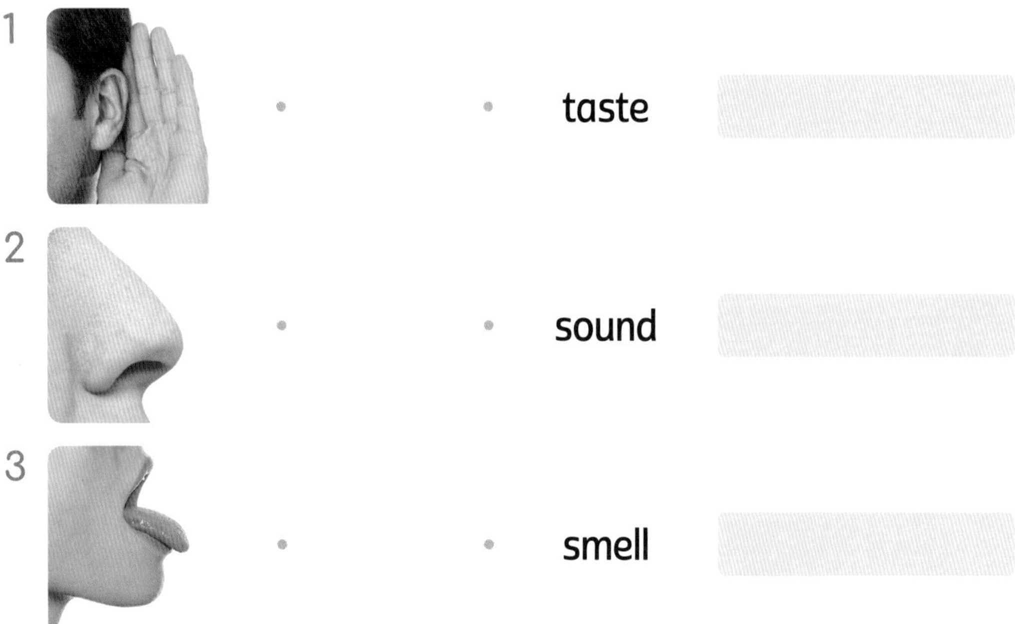

1 • • taste

2 • • sound

3 • • smell

Ⓒ 우리말에 맞게 알맞은 단어에 ✓ 표 하세요.

1	느끼다	☐ feel	☐ smell
2	좋은	☐ nice	☐ bad
3	재미있는	☐ taste	☐ fun

D 우리말에 맞게 알파벳을 바르게 배열하여 단어를 쓰세요.

1 ~처럼 들리다 ____________ (o, s, n, d, u)

2 나쁜 ____________ (b, d, a)

3 맛이 나다 ____________ (a, t, s, t, e)

4 차분한 ____________ (c, l, m, a)

E 우리말에 맞게 알맞은 단어를 써서 문장을 완성하세요.

1 그것은 재미있겠어.

2 그것은 느낌이 좋아.

3 그것은 나쁜 냄새가 나.

sound, feel, taste, smell, look 뒤에 형용사를 넣어 감각을 표현하는 말을 할 수 있어요. 이 단어들은 it 뒤에 올 때 항상 -s를 붙여요.

 오늘의 문장을 읽으며 오늘의 단어를 활용해 보세요.

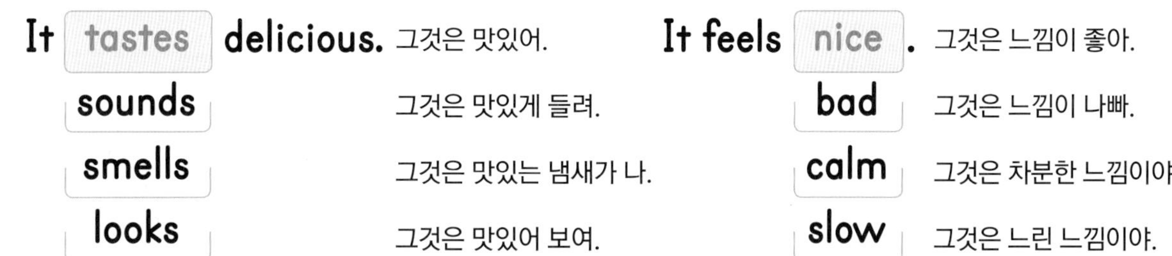

It tastes delicious. 그것은 맛있어.
sounds 그것은 맛있게 들려.
smells 그것은 맛있는 냄새가 나.
looks 그것은 맛있어 보여.
It feels nice. 그것은 느낌이 좋아.
bad 그것은 느낌이 나빠.
calm 그것은 차분한 느낌이야.
slow 그것은 느린 느낌이야.

DAY 38 인 물

STEP 1 오늘의 단어를 듣고, 그림에서 찾아 번호를 쓰세요.

찾지 못한 단어는 STEP 2에서 확인하세요.

STEP 2 오늘의 단어를 확인하고, 따라 말하세요.

boy 남자아이

girl 여자아이

man 남자

woman 여자

baby 아기

child 어린이

adult 어른

know 알다

slide 미끄럼틀

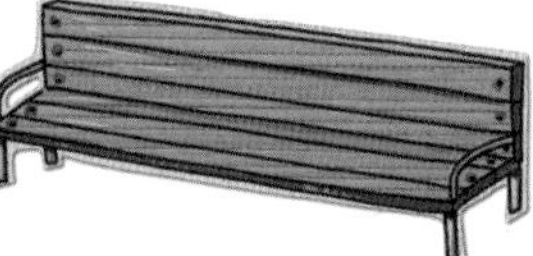

bench 벤치

STEP 3 오늘의 단어를 따라 쓰세요.

boy
남자아이

girl
여자아이

man
남자

woman
여자

baby
아기

child
어린이

adult
어른

know
알다

slide
미끄럼틀

bench
벤치

DAY 38 Test

Ⓐ 그림을 보고, 알맞은 단어를 고르세요.

1		2		3	
adult	baby	girl	boy	man	woman

Ⓑ 그림을 보고, 알맞은 단어와 우리말 뜻을 연결하세요.

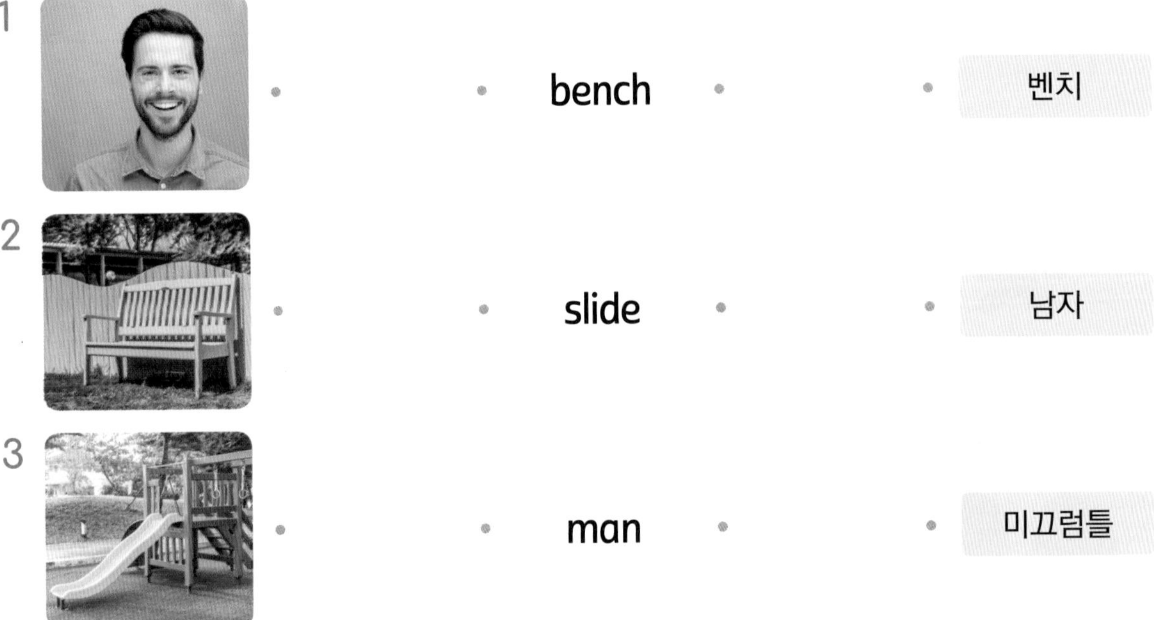

1	bench	벤치
2	slide	남자
3	man	미끄럼틀

Ⓒ 우리말에 맞게 알맞은 단어에 ✓ 표 하세요.

1	알다	☐ bench	☐ know
2	어른	☐ adult	☐ boy
3	어린이	☐ child	☐ girl

D 우리말에 맞게 알맞은 단어를 찾아 쓰세요.

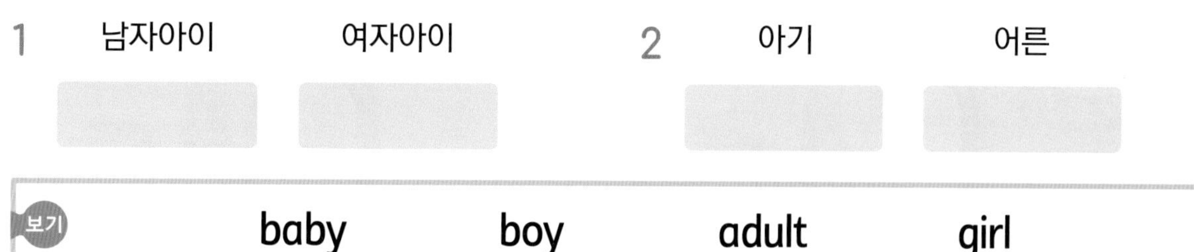

1 남자아이 여자아이

2 아기 어른

보기 baby boy adult girl

E 우리말에 맞게 알맞은 단어를 써서 문장을 완성하세요.

1 너는 저 남자를 아니?

Do you know that ______ ?

2 너는 저 어린이를 아니?

Do you know that ______ ?

3 너는 저 아기를 아니?

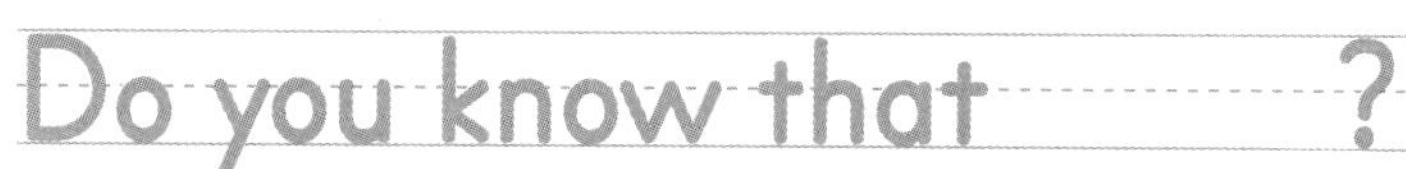

Do you know that ______ ?

Do you know ~?에
답할 때는 알면 Yes, I do.라고,
모르면 No, I don't.라고 해요.

오늘의 문장을 읽으며 오늘의 단어를 활용해 보세요.

Do you know that girl? 너는 저 여자아이를 아니?

boy 너는 저 남자아이를 아니?

woman 너는 저 여자를 아니?

DAY 39 호칭

오늘의 단어를 듣고, 그림에서 찾아 동그라미 하세요.

Mr.

Ms.

That captain is Mr. Brave.

CUTE

10

찾지 못한 단어는 STEP 2에서 확인하세요.

STEP 2 오늘의 단어를 확인하고, 따라 말하세요.

Mr. (남자) ~ 씨

Ms. (여자) ~ 씨

gentleman 신사

lady 숙녀

teenager 십대

captain 기장, 선장

iguana 이구아나

parrot 앵무새

cute 귀여운

voice 목소리

STEP 3 오늘의 단어를 따라 쓰세요.

Mr.
(남자) ~ 씨

Ms.
(여자) ~ 씨

gentleman
신사

lady
숙녀

teenager
십대

captain
기장, 선장

iguana
이구아나

parrot
앵무새

cute
귀여운

voice
목소리

DAY 39 Test

Ⓐ 그림을 보고, 알맞은 단어를 고르세요.

1 

iguana	cute

2  

teenager	parrot

3 

voice	captain

Ⓑ 그림을 보고, 알맞은 단어와 연결한 다음 우리말 뜻을 쓰세요.

1 • • lady

2 • • voice

3 • • teenager

Ⓒ 우리말에 맞게 알맞은 단어에 ✓ 표 하세요.

1	신사	☐ gentleman	☐ Mr.
2	앵무새	☐ iguana	☐ parrot
3	귀여운	☐ voice	☐ cute

Ⓓ 우리말에 맞게 알맞은 단어를 찾아 쓰세요.

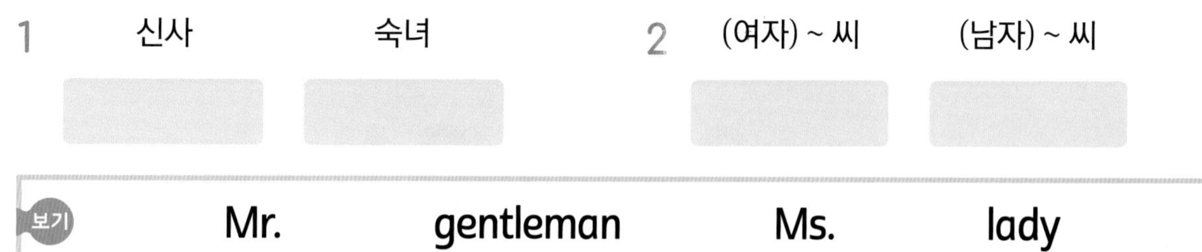

1 신사 숙녀

2 (여자) ~ 씨 (남자) ~ 씨

보기 Mr. gentleman Ms. lady

Ⓔ 우리말에 맞게 알맞은 단어를 써서 문장을 완성하세요.

1 저 선장은 빅 씨야.

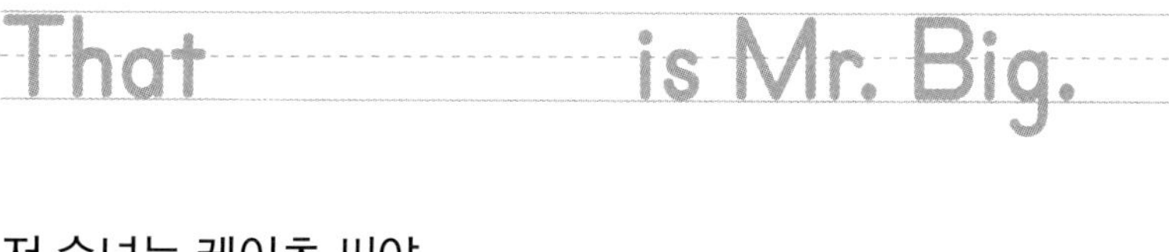

That is Mr. Big.

2 저 숙녀는 케이츠 씨야.

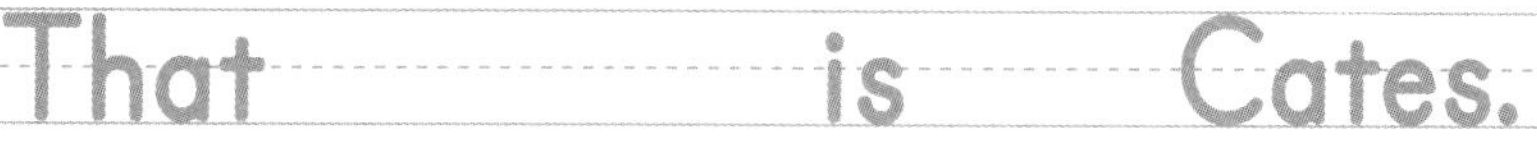

That is Cates.

3 저 신사는 피트 씨야.

That is Pitt.

Mr.와 Ms. 뒤에는 보통
성씨를 넣어요. 성씨와 이름의
첫 글자는 항상 대문자로 써요.

 오늘의 문장을 읽으며 오늘의 단어를 활용해 보세요.

That	captain	is	Mr. Brave	. 저 선장은 브레이브 씨야.
	iguana		Mr. Green	저 이구아나는 그린 씨야.
	parrot		Ms. Smart	저 앵무새는 스마트 씨야.

DAY **40** 달력

오늘의 단어를 듣고, 그림에서 찾아 동그라미 하세요.

2020.04

Today 04.06. Monday

MON.	TUE.	WED.	THU.	FRI.	SAT.	SUN.
		1	2	3	4	5
6	7	8	9 FESTIVAL	10	11	12
13	14	15	16	17	18 ♡ 3 years	19
20	21	22	23	24	25	26
27	28	29	30			

Today is my birthday.

찾지 못한 단어는 STEP 2에서 확인하세요.

오늘의 문장 Today is my birthday.

STEP 2 오늘의 단어를 확인하고, 따라 말하세요.

calendar 달력

04.06.

date 날짜

MON.	TUE.	WED.	THU.	FRI.	SAT	SUN
		1	2	3	4	5

week 주

SAT.	SUN.
4	5

weekend 주말

04

month 월, 달

2020

year 년, 해

anniversary 기념일

birthday 생일

holiday 휴일

festival 축제

STEP 3 오늘의 단어를 따라 쓰세요.

calendar 달력

date 날짜

week 주

weekend 주말

month 월, 달

year 년, 해

anniversary 기념일

birthday 생일

holiday 휴일

festival 축제

DAY 40 Test

Ⓐ 그림을 보고, 알맞은 단어를 골라 기호를 쓰세요.

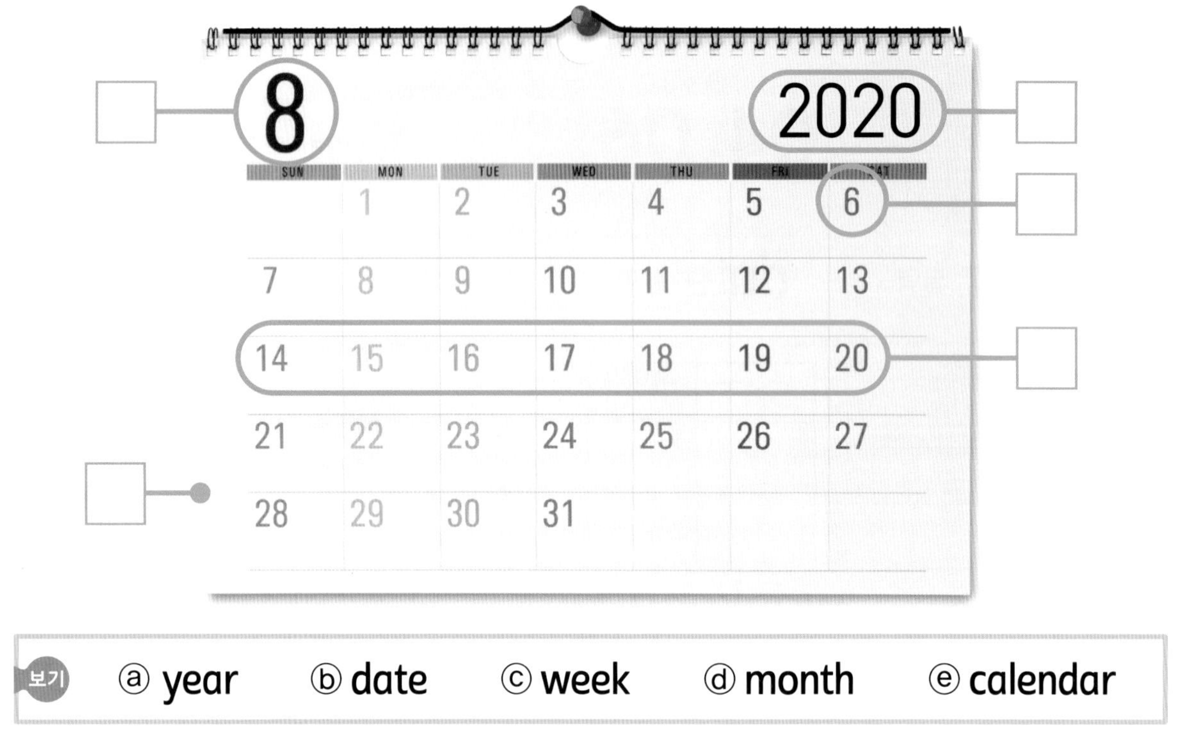

보기 ⓐ year ⓑ date ⓒ week ⓓ month ⓔ calendar

Ⓑ 우리말에 맞게 알맞은 단어를 연결하세요.

1 월, 달 • • date

2 날짜 • • month

3 주말 • • weekend

Ⓒ 우리말에 맞게 알맞은 단어에 ✓ 표 하세요.

1 축제 ☐ festival ☐ calendar

2 기념일 ☐ birthday ☐ anniversary

3 휴일 ☐ holiday ☐ weekend

D 우리말에 맞게 알파벳을 바르게 배열하여 단어를 쓰세요.

1 주 ____________ (e, e, k, w)

2 생일 ____________ (a, b, d, h, i, r, t, y)

3 주말 ____________ (d, k, n, w, e, e, e)

4 축제 ____________ (a, e, f, i, l, s, t, v)

E 우리말에 맞게 알맞은 단어를 써서 문장을 완성하세요.

1 오늘은 휴일이야.

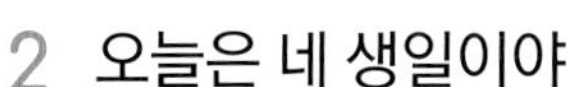

Today is a ____________.

2 오늘은 네 생일이야.

Today is your ____________.

3 오늘은 우리의 기념일이야.

Today is our ____________.

Happy
Birthday!!!
HAPPY BIRTHDAY

오늘의 문장을 읽으며 오늘의 단어를 활용해 보세요.

Today is	my birthday	. 오늘은 내 생일이야.
	the weekend	오늘은 주말이야.
	their anniversary	오늘은 그들의 기념일이야.

Review Test

A 다음 단어의 우리말 뜻을 쓰세요.

1 delicious ____________
2 baby ____________
3 voice ____________
4 calendar ____________
5 pretty ____________
6 child ____________
7 cute ____________
8 date ____________
9 calm ____________
10 adult ____________
11 parrot ____________
12 week ____________
13 nice ____________
14 boy ____________
15 iguana ____________
16 weekend ____________
17 fun ____________
18 girl ____________
19 captain ____________
20 year ____________

B 다음 우리말 뜻에 해당하는 단어를 쓰세요.

1 나쁜 ____________
2 남자 ____________
3 (남자) ~ 씨 ____________
4 월, 달 ____________
5 ~처럼 들리다 ____________
6 여자 ____________
7 (여자) ~ 씨 ____________
8 기념일 ____________
9 느끼다 ____________
10 알다 ____________
11 신사 ____________
12 생일 ____________
13 맛이 나다 ____________
14 미끄럼틀 ____________
15 숙녀 ____________
16 휴일 ____________
17 냄새가 나다 ____________
18 벤치 ____________
19 십대 ____________
20 축제 ____________

C 그림을 보고, 알맞은 단어를 골라 문장을 완성하세요.

1  It (sounds / smells) bad.

2  Today is my (birthday / holiday).

3  That (gentleman / lady) is Ms. Lee.

4  That captain is (Mr. / Ms.) Wilson.

5  Do you know that (boy / girl)?

D 우리말에 맞게 알맞은 단어를 써서 문장을 완성하세요.

1 오늘은 우리의 기념일이야. Today is our ____________.

2 너는 저 아기를 아니? Do you ____________ that ____________?

3 저 숙녀는 스미스 씨야. That ____________ is ____________ Smith.

4 그것은 예쁘게 보여. It looks ____________.

5 그것은 좋은 느낌이야. It ____________s nice.

정답
Answer

교육부 권장 영단어와 초등학교 교과서를 분석하여 선정한
초등 필수 영단어를 40일에 완전 정복하고
〈정답〉을 통해 학습한 내용을 확인해 보자!

cloud

sun

DAY 01 pp. 12~13

Ⓐ 그림을 보고, 알맞은 단어를 고르세요.

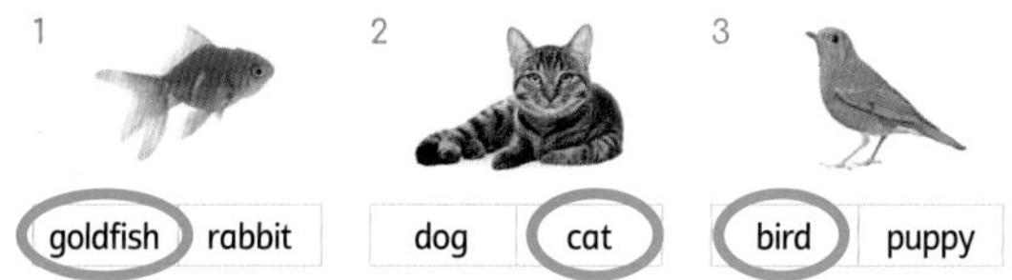

1 goldfish rabbit 2 dog cat 3 bird puppy

Ⓑ 그림을 보고, 알맞은 단어와 우리말 뜻을 연결하세요.

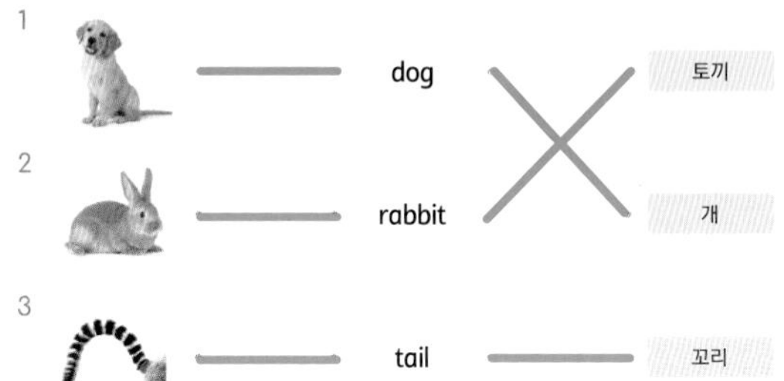

1 dog 토끼
2 rabbit 개
3 tail 꼬리

Ⓒ 우리말에 맞게 빈칸에 알맞은 알파벳을 써서 단어를 완성하세요.

1 이것 t h is 2 새끼 고양이 ki t t y
3 저것 th a t 4 새 b i r d

Ⓓ 그림을 보고, 알맞은 단어를 찾아 쓰세요.

1 puppy 2 rabbit 3 tail

보기 puppy rabbit tail

Ⓔ 우리말에 맞게 알맞은 단어를 써서 문장을 완성하세요.

this는 가까운 것을 가리킬 때, that은 멀리 있는 것을 가리킬 때 사용해요.

1 이것은 토끼입니다.
This is a rabbit .

2 이것은 꼬리입니다.
This is a tail .

3 저것은 고양이입니다.
That is a cat .

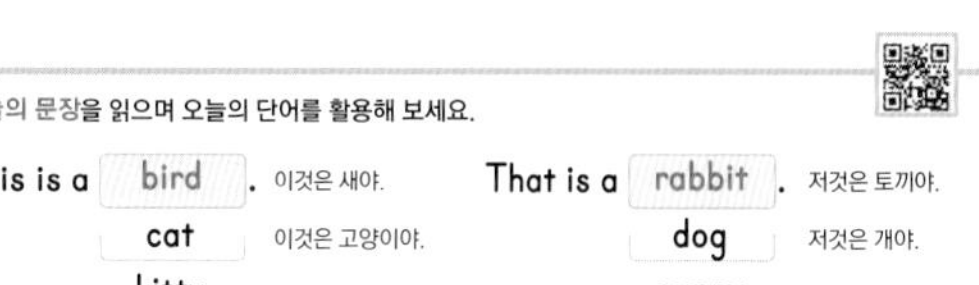

오늘의 문장을 읽으며 오늘의 단어를 활용해 보세요.

This is a bird. 이것은 새야. / cat 이것은 고양이야. / kitty 이것은 새끼 고양이야.
That is a rabbit. 저것은 토끼야. / dog 저것은 개야. / puppy 저것은 강아지야.

DAY 02 pp. 16~17

Ⓐ 그림을 보고, 알맞은 단어를 골라 기호를 쓰세요.

ⓑ ⓐ ⓒ

보기 ⓐ what ⓑ you ⓒ I

Ⓑ 그림을 보고, 알맞은 단어와 연결한 다음 우리말 뜻을 쓰세요.

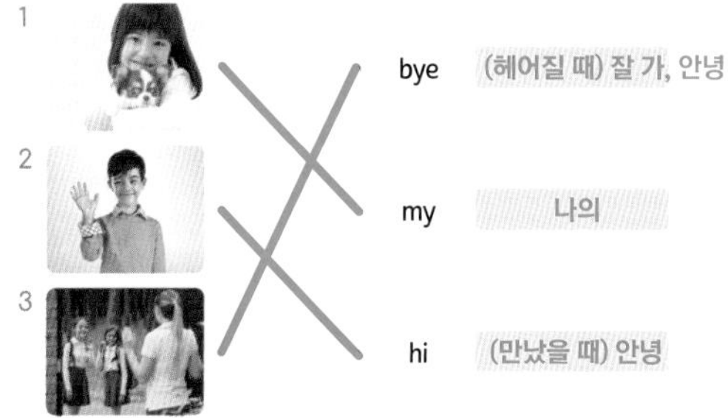

1 bye (헤어질 때) 잘 가, 안녕
2 my 나의
3 hi (만났을 때) 안녕

Ⓒ 우리말에 맞게 알파벳을 바르게 배열하여 단어를 쓰세요.

1 안녕 hello (e, h, l, o, l) 2 이름 name (a, e, m, n)
3 너의 your (o, r, u, y) 4 잘 가 goodbye (b, e, d, g, o, y, o)

Ⓓ 그림을 보고, 빈칸에 알맞은 알파벳을 써서 단어를 완성하세요.

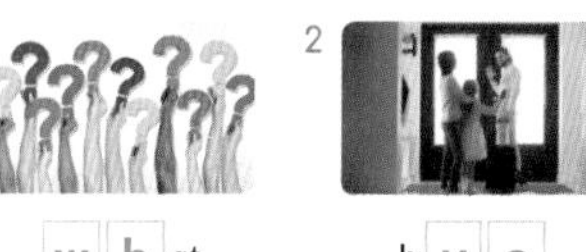

1 w h at 2 b y e 3 n a m e

Ⓔ 우리말에 맞게 알맞은 단어를 써서 문장을 완성하세요.

누군가를 만났을 때는 Hi 또는 Hello라고 인사하고, 헤어질 때는 Bye 또는 Goodbye라고 인사해요.

1 안녕, 내 이름은 에이미야.
Hi, my name is Amy.

2 안녕, 나는 에릭이야.
Hello, I am Eric.

3 잘 가, 티나야.
Bye / Goodbye , Tina.

오늘의 문장을 읽으며 오늘의 단어를 활용해 보세요.

Hi / Hello, my name is Jenny. 안녕, 내 이름은 제니야. / Mike 안녕, 내 이름은 마이크야.
Bye / Goodbye, Mike. 잘 가, 마이크야. / Jenny 잘 가, 제니야.

DAY 03 pp. 20~21

Ⓐ 그림을 보고, 알맞은 단어를 고르세요.

1 (morning) meet　2 friend (afternoon)　3 (evening) night

Ⓑ 그림을 보고, 알맞은 단어와 우리말 뜻을 연결하세요.

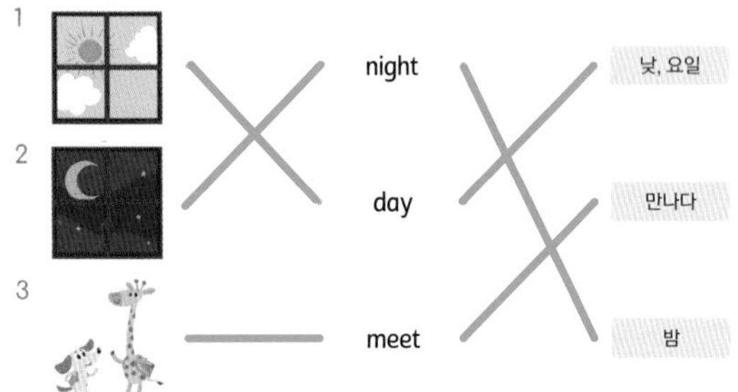

night　낮, 요일
day　만나다
meet　밤

Ⓒ 우리말에 맞게 빈칸에 알맞은 알파벳을 써서 단어를 완성하세요.

1 친구 f r iend　2 괜찮은 f i n e
3 좋은 g o o d　4 아주 좋은 g r eat

20

Ⓓ 그림을 보고, 알맞은 단어를 찾아 쓰세요.

1 good　2 friend　3 night

보기 night　friend　good

Ⓔ 우리말에 맞게 알맞은 단어를 써서 문장을 완성하세요.

1 좋은 아침이야.
Good morning.

2 좋은 오후야.
Good afternoon.

3 좋은 밤 되렴. / 잘 자.
Good night.

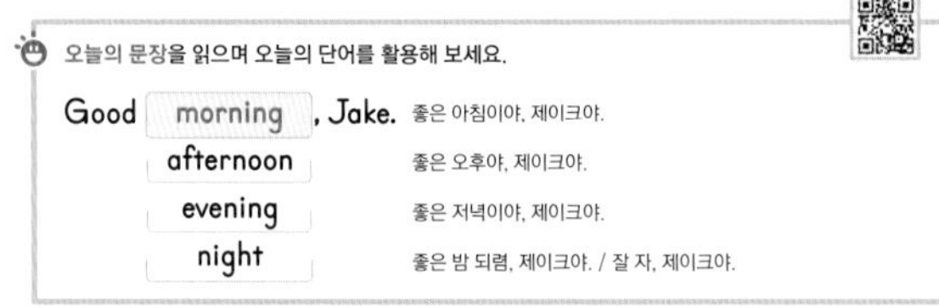

오늘의 문장을 읽으며 오늘의 단어를 활용해 보세요.

Good morning, Jake. 좋은 아침이야, 제이크야.
afternoon 좋은 오후야, 제이크야.
evening 좋은 저녁이야, 제이크야.
night 좋은 밤 되렴, 제이크야. / 잘 자, 제이크야.

21

DAY 04 pp. 24~25

Ⓐ 그림을 보고, 알맞은 단어를 골라 기호를 쓰세요.

보기 ⓐ brother　ⓑ dad　ⓒ mom

Ⓑ 그림을 보고, 알맞은 단어와 연결한 다음 우리말 뜻을 쓰세요.

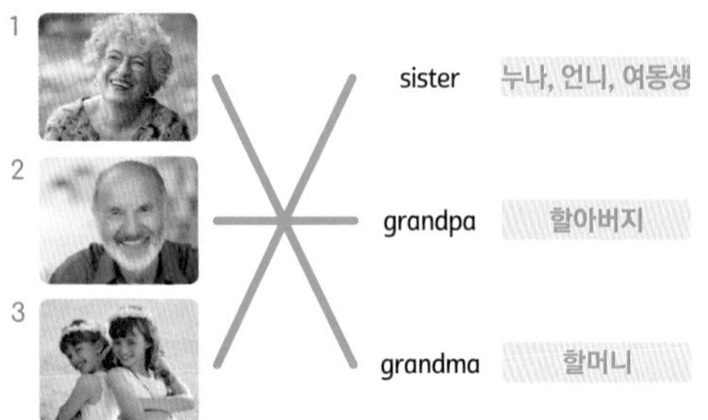

sister 누나, 언니, 여동생
grandpa 할아버지
grandma 할머니

Ⓒ 우리말에 맞게 빈칸에 알맞은 알파벳을 써서 단어를 완성하세요.

1 그 h e　2 우리 w e
3 그녀 s h e　4 그들 t h ey

24

Ⓓ 그림을 보고, 알파벳을 바르게 배열하여 단어를 쓰세요.

1 grandma (a, a, d, g, m, n, r)　2 brother (b, e, h, o, r, r, t)　3 sister (e, i, s, t, r, s)

Ⓔ 우리말에 맞게 알맞은 단어를 써서 문장을 완성하세요.

1 그는 나의 할아버지셔.
He is my grandpa.

2 그는 나의 아빠셔.
He is my dad.

3 그녀는 나의 엄마셔.
She is my mom.

남자 가족을 말할 때는 He is my ~로 말하고, 여자 가족을 말할 때는 She is my ~로 말해요.

오늘의 문장을 읽으며 오늘의 단어를 활용해 보세요.

She is my sister. 그녀는 나의 언니야.
He brother 그는 나의 남동생이야.
She grandma 그녀는 나의 할머니셔.

25

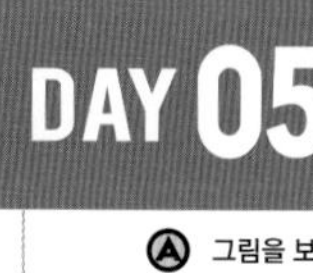

DAY 05 pp. 30~31

Ⓐ 그림을 보고, 알맞은 단어를 골라 기호를 쓰세요.

ⓒ ⓐ ⓑ

보기 ⓐ balloon ⓑ skateboard ⓒ robot

Ⓑ 그림을 보고, 알맞은 단어와 연결한 다음 우리말 뜻을 쓰세요.

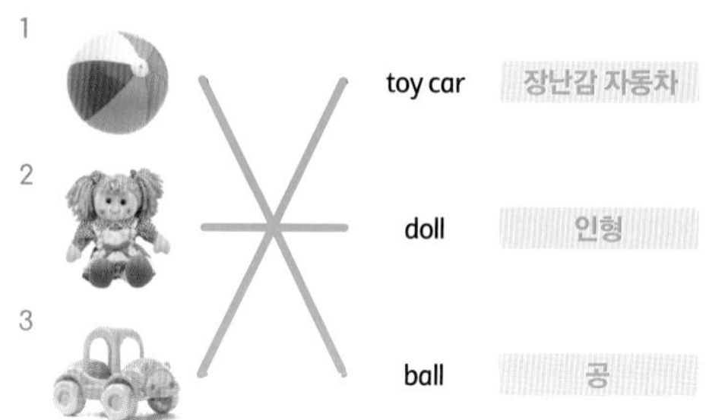

1 toy car 장난감 자동차
2 doll 인형
3 ball 공

Ⓒ 우리말에 맞게 알파벳을 바르게 배열하여 단어를 쓰세요.

1 크레용 crayon (a, c, n, o, r, y)
2 붓 brush (b, h, r, u, s)
3 스케치북 sketchbook (b, c, o, e, h, k, s, t, k, o)
4 책 book (o, b, k, o)

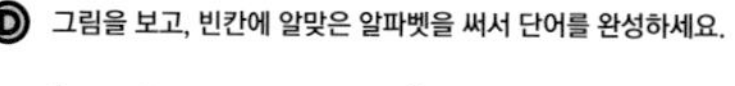

Ⓓ 그림을 보고, 빈칸에 알맞은 알파벳을 써서 단어를 완성하세요.

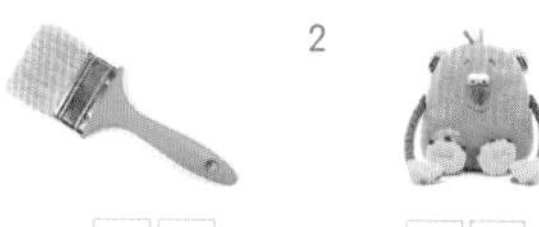

1 bru s h
2 d o ll
3 b a lloo n

Ⓔ 우리말에 맞게 알맞은 단어를 써서 문장을 완성하세요.

1 그것은 나의 책이야.
It is my book .

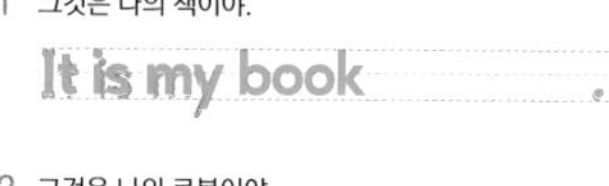

2 그것은 나의 로봇이야.
It is my robot .

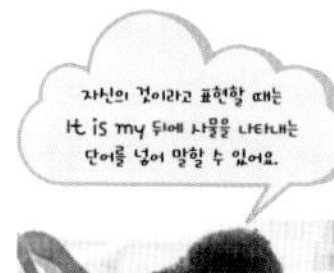

자신의 것이라고 표현할 때는
It is my 뒤에 사물을 나타내는
단어를 넣어 말할 수 있어요.

3 그것은 나의 장난감 자동차야.
It is my toy car .

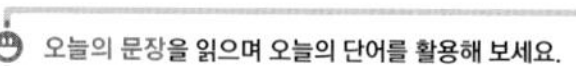

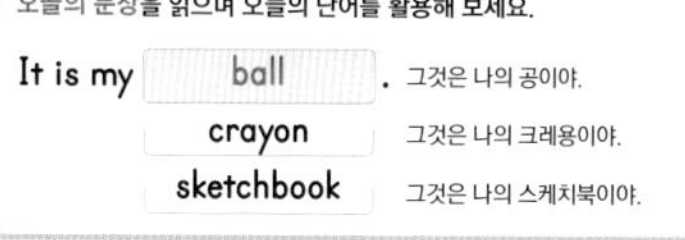

오늘의 문장을 읽으며 오늘의 단어를 활용해 보세요.

It is my ball . 그것은 나의 공이야.
crayon 그것은 나의 크레용이야.
sketchbook 그것은 나의 스케치북이야.

DAY 06 pp. 34~35

Ⓐ 그림을 보고, 알맞은 단어를 고르세요.

1 desk / chair (circled: chair)
2 bag / eraser (circled: bag)
3 pen / pencil (circled: pencil)

Ⓑ 그림을 보고, 알맞은 단어와 우리말 뜻을 연결하세요.

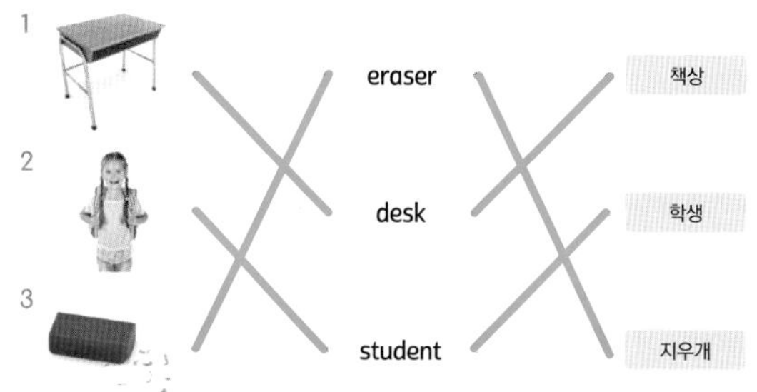

1 desk 책상
2 student 학생
3 eraser 지우개

Ⓒ 우리말에 맞게 빈칸에 알맞은 알파벳을 써서 단어를 완성하세요.

1 가지고 있다 h a v e
2 펜 p e n
3 교과서 te x t book
4 선생님 tea c h er

Ⓓ 그림을 보고, 알맞은 단어를 찾아 쓰세요.

1 desk
2 teacher
3 chair

보기 chair teacher desk

Ⓔ 우리말에 맞게 알맞은 단어를 써서 문장을 완성하세요.

1 너는 가방을 가지고 있니?
Do you have a bag ?

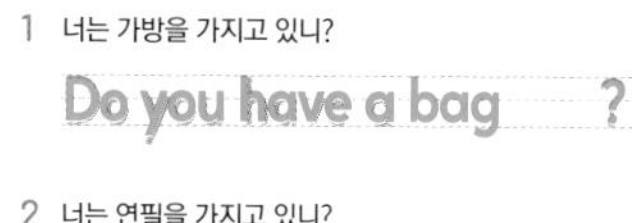

2 너는 연필을 가지고 있니?
Do you have a pencil ?

어떤 것을 가지고 있는지 물을 때는 Do you have a/an 뒤에 물건 이름을 넣어 말해요. eraser와 같이 첫소리가 /a, e, i, o, u/이면 단어 앞에 an을 넣어요.

3 너는 지우개를 가지고 있니?
Do you have an eraser ?

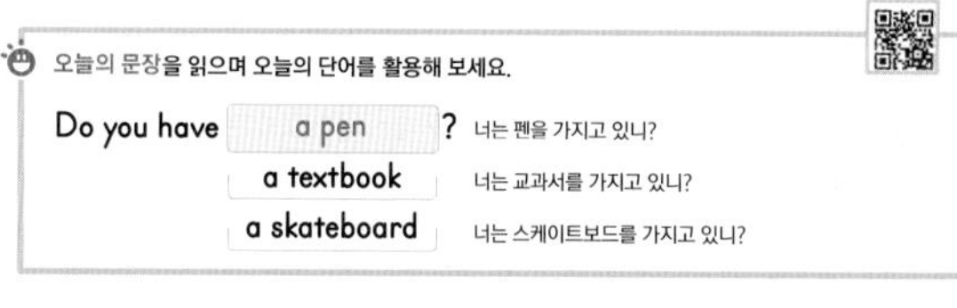

오늘의 문장을 읽으며 오늘의 단어를 활용해 보세요.

Do you have a pen ? 너는 펜을 가지고 있니?
a textbook 너는 교과서를 가지고 있니?
a skateboard 너는 스케이트보드를 가지고 있니?

DAY 07 pp. 38~39

Ⓐ 그림을 보고, 알맞은 단어를 고르세요.

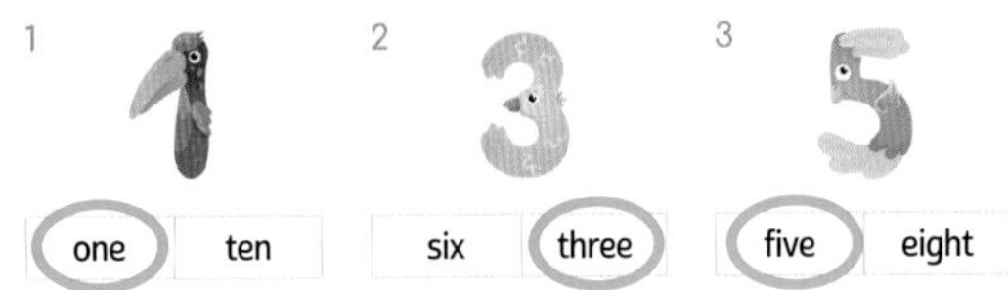

1 (one) ten 2 six (three) 3 (five) eight

Ⓑ 덧셈을 풀고, 알맞은 단어와 우리말 뜻을 연결하세요.

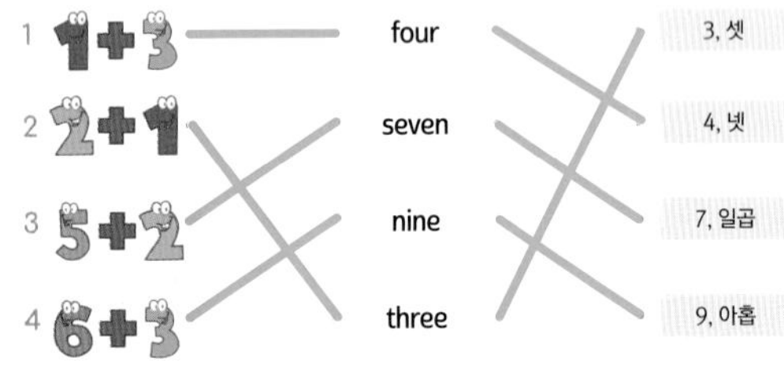

Ⓒ 우리말에 맞게 빈칸에 알맞은 알파벳을 써서 단어를 완성하세요.

1 2, 둘 t w o 2 6, 여섯 s i x
3 8, 여덟 e i ght 4 10, 열 t e n

38

Ⓓ 그림을 보고, 동물이 몇 마리인지 알맞은 단어를 찾아 쓰세요.

1 four 2 five 3 seven

보기 five seven four

Ⓔ 우리말에 맞게 알맞은 단어를 써서 문장을 완성하세요.

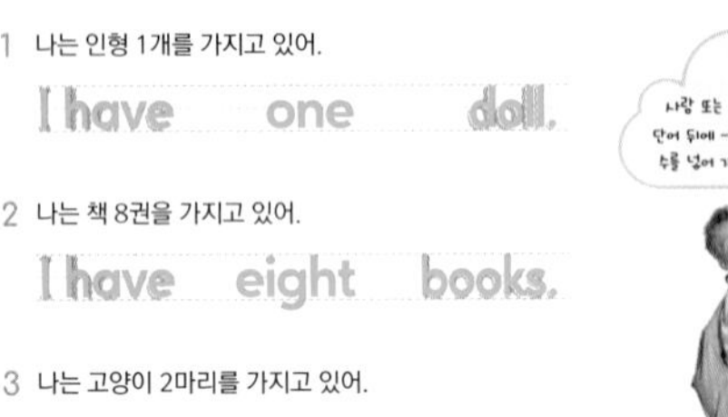

1 나는 인형 1개를 가지고 있어.
I have one doll.

2 나는 책 8권을 가지고 있어.
I have eight books.

3 나는 고양이 2마리를 가지고 있어.
I have two cats.

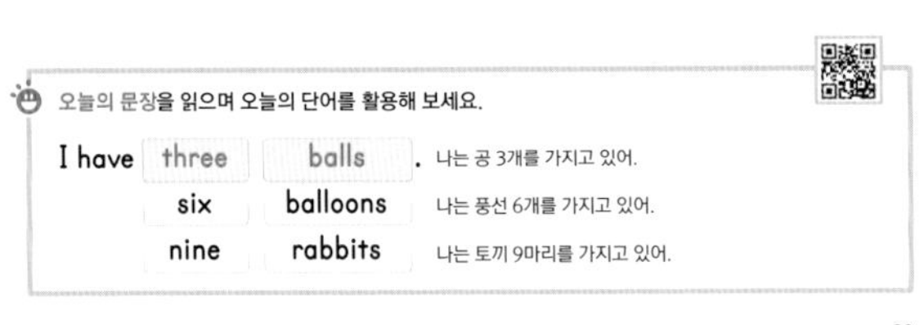

오늘의 문장을 읽으며 오늘의 단어를 활용해 보세요.

I have three balls. 나는 공 3개를 가지고 있어.
six balloons 나는 풍선 6개를 가지고 있어.
nine rabbits 나는 토끼 9마리를 가지고 있어.

39

DAY 08 pp. 42~43

Ⓐ 그림을 보고, 알맞은 단어를 골라 기호를 쓰세요.

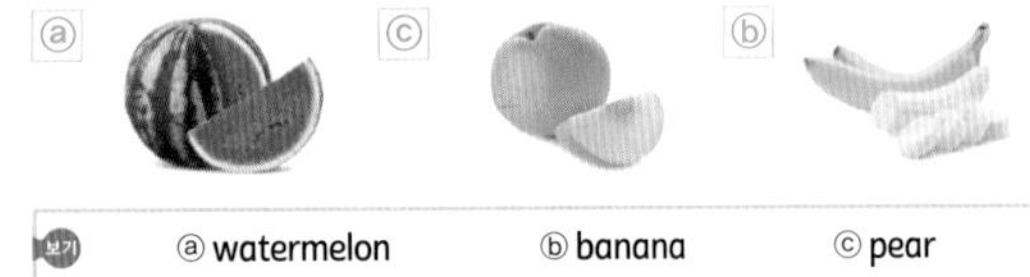

ⓐ ⓒ ⓑ

보기 ⓐ watermelon ⓑ banana ⓒ pear

Ⓑ 그림을 보고, 알맞은 단어와 연결한 다음 우리말 뜻을 쓰세요.

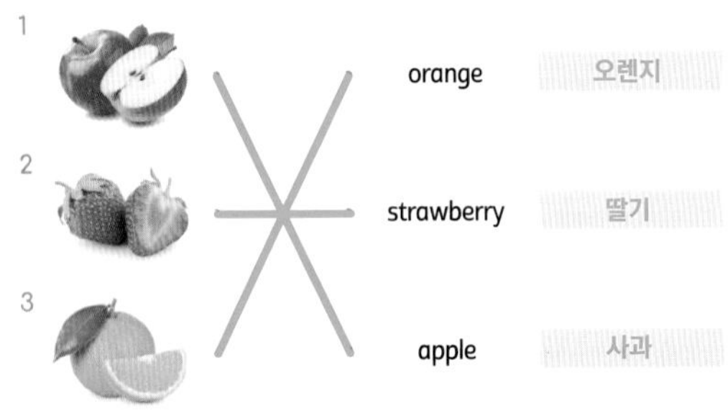

Ⓒ 우리말에 맞게 알파벳을 바르게 배열하여 단어를 쓰세요.

1 좋아하다 like (e, k, l, i) 2 복숭아 peach (a, c, e, h, p)
3 토마토 tomato (a, m, o, o, t, t) 4 포도 grape (a, e, g, p, r)

42

Ⓓ 그림을 보고, 빈칸에 알맞은 알파벳을 써서 단어를 완성하세요.

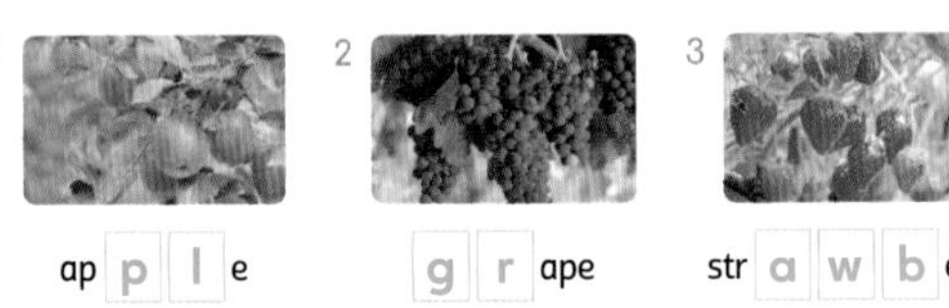

1 ap p l e 2 g r ape 3 str a w b erry

Ⓔ 우리말에 맞게 알맞은 단어를 써서 문장을 완성하세요.

1 나는 토마토를 좋아해.
I like tomatoes.

2 나는 바나나를 좋아하지 않아.
I don't like bananas.

3 나는 수박을 좋아해.
I like watermelons.

오늘의 문장을 읽으며 오늘의 단어를 활용해 보세요.

I (don't) like apples. 나는 사과를 좋아해(좋아하지 않아).
oranges 나는 오렌지를 좋아해(좋아하지 않아).
peaches 나는 복숭아를 좋아해(좋아하지 않아).

43

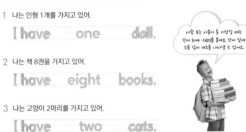

DAY 09 pp. 48~49

Ⓐ 그림을 보고, 알맞은 단어를 골라 기호를 쓰세요.

ⓒ ⓑ ⓐ

보기 ⓐ close ⓑ open ⓒ touch

Ⓑ 그림을 보고, 알맞은 단어와 연결한 다음 우리말 뜻을 쓰세요.

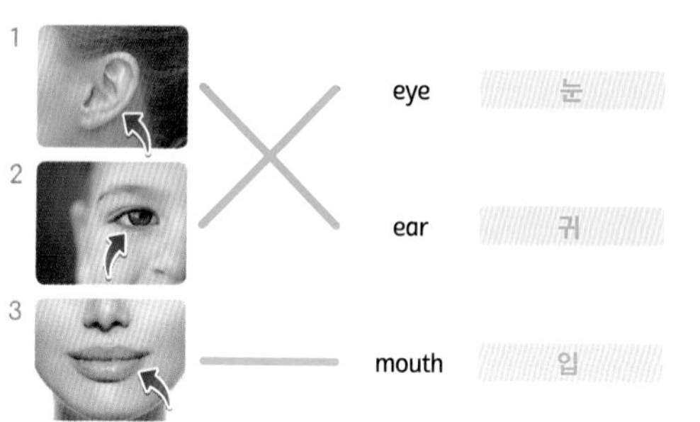

1 eye 눈
2 ear 귀
3 mouth 입

Ⓒ 우리말에 맞게 알파벳을 바르게 배열하여 단어를 쓰세요.

1 얼굴 face (a, c, e, f) 2 머리카락 hair (a, i, h, r)
3 코 nose (e, n, s, o) 4 치아 tooth (h, o, t, o, t)

Ⓓ 그림을 보고, 빈칸에 알맞은 알파벳을 써서 단어를 완성하세요.

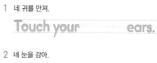

1  h a i r
2  t o u ch
3  m o u t h

Ⓔ 우리말에 맞게 알맞은 단어를 써서 문장을 완성하세요.

1 네 귀를 만져.
Touch your ears.

2 네 눈을 감아.
Close your eyes.

3 네 입을 열어.
Open your mouth.

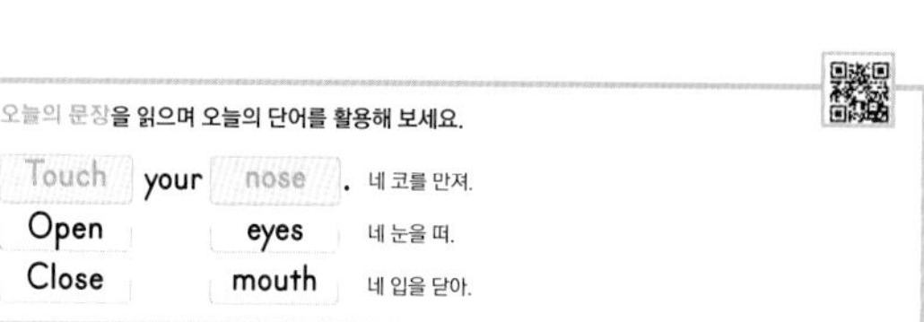

오늘의 문장을 읽으며 오늘의 단어를 활용해 보세요.

Touch your nose. 네 코를 만져.
Open eyes 네 눈을 떠.
Close mouth 네 입을 닫아.

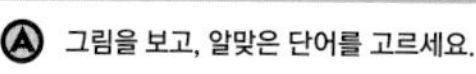

DAY 10 pp. 52~53

Ⓐ 그림을 보고, 알맞은 단어를 고르세요.

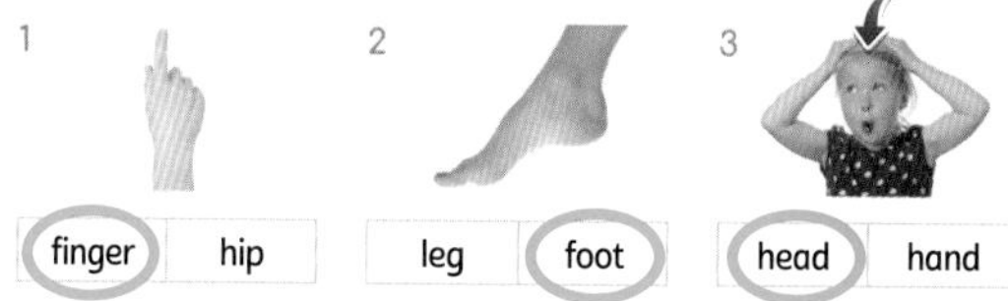

1 (finger) hip
2 leg (foot)
3 (head) hand

Ⓑ 그림을 보고, 알맞은 단어와 우리말 뜻을 연결하세요.

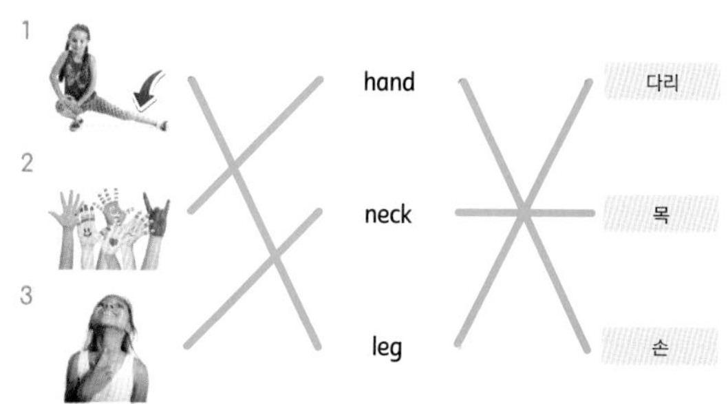

1 hand 다리
2 neck 목
3 leg 손

Ⓒ 우리말에 맞게 빈칸에 알맞은 알파벳을 써서 단어를 완성하세요.

1 움직이다 m o v e 2 엉덩이 h i p
3 팔 a r m 4 무릎 k n ee

Ⓓ 그림을 보고, 알맞은 단어를 찾아 쓰세요.

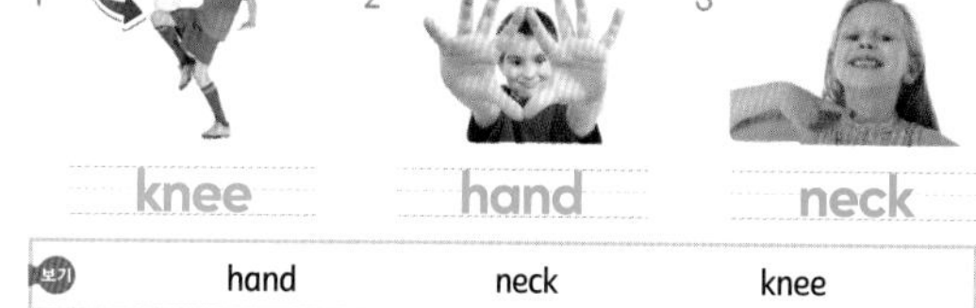

1 knee 2 hand 3 neck

보기 hand neck knee

Ⓔ 우리말에 맞게 알맞은 단어를 써서 문장을 완성하세요.

1 네 머리를 움직여.
Move your head.

2 네 팔을 움직여.
Move your arms.

몸에서 짝을 이루거나 2개 이상의 부위를 나타내는 단어 뒤에는 -s를 붙여요. 예외로 foot은 2개 이상일 때 feet으로 바뀌어요.

3 네 다리를 움직여.
Move your legs.

오늘의 문장을 읽으며 오늘의 단어를 활용해 보세요.

Move your hips. 네 엉덩이를 움직여.
knees 네 무릎을 움직여.
fingers 네 손가락을 움직여.

DAY 11 | pp. 56~57

Ⓐ 그림을 보고, 알맞은 단어를 골라 기호를 쓰세요.

보기 ⓐ bear ⓑ monkey ⓒ zebra

Ⓑ 그림을 보고, 알맞은 단어와 연결한 다음 우리말 뜻을 쓰세요.

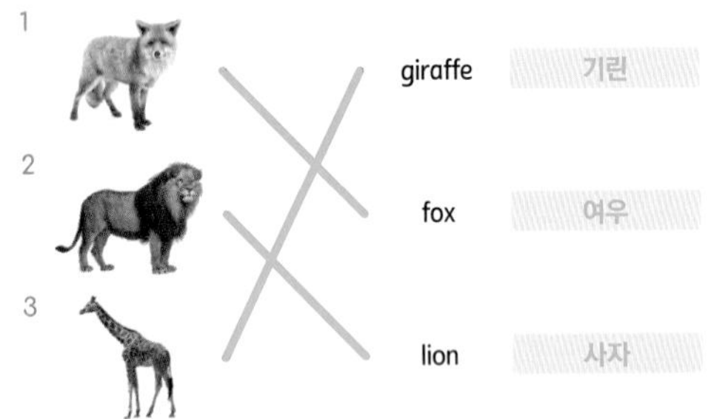

Ⓒ 우리말에 맞게 알파벳을 바르게 배열하여 단어를 쓰세요.

56

Ⓓ 그림을 보고, 빈칸에 알맞은 알파벳을 써서 단어를 완성하세요.

1 ele p h ant
2 gira f f e
3 m onk e y

Ⓔ 우리말에 맞게 알맞은 단어를 써서 문장을 완성하세요.

1 그것은 돌고래야.
It is a dolphin.

2 그것은 얼룩말이야.
It is a zebra.

3 그것은 사자야.
It is a lion.

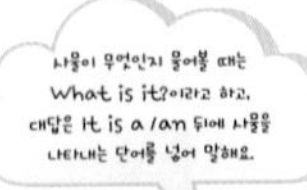

사물이 무엇인지 물어볼 때는 What is it?이라고 하고, 대답은 It is a /an 뒤에 사물을 나타내는 단어를 넣어 말해요.

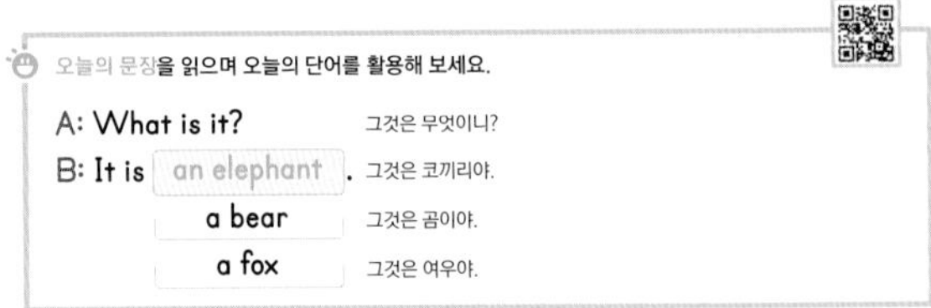

오늘의 문장을 읽으며 오늘의 단어를 활용해 보세요.

A: What is it? 그것은 무엇이니?
B: It is an elephant. 그것은 코끼리야.
a bear 그것은 곰이야.
a fox 그것은 여우야.

57

DAY 12 | pp. 60~61

Ⓐ 그림을 보고, 알맞은 단어를 고르세요.

Ⓑ 그림을 보고, 알맞은 단어와 우리말 뜻을 연결하세요.

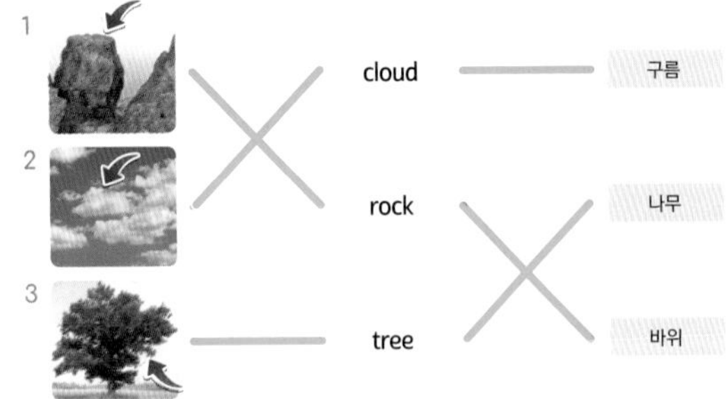

Ⓒ 우리말에 맞게 빈칸에 알맞은 알파벳을 써서 단어를 완성하세요.

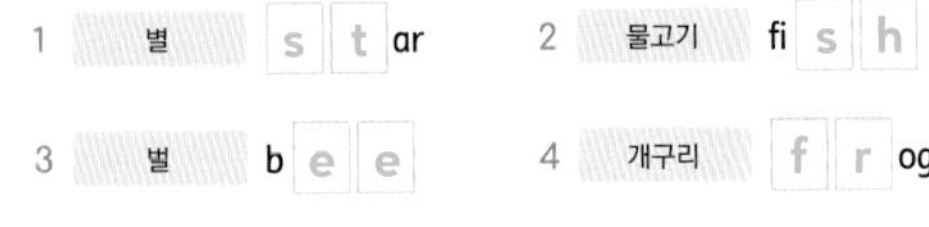

60

Ⓓ 그림을 보고, 알맞은 단어를 찾아 쓰세요.

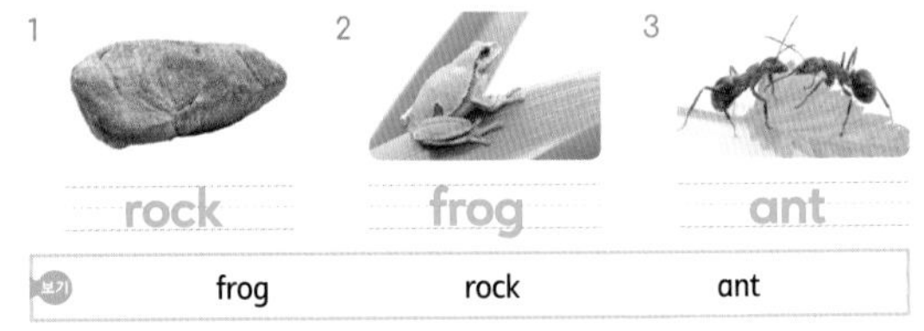

보기 frog rock ant

Ⓔ 우리말에 맞게 알맞은 단어를 써서 문장을 완성하세요.

1 물고기를 봐.
Look at the fish.

2 벌을 봐.
Look at the bee.

3 꽃들을 봐.
Look at the flowers.

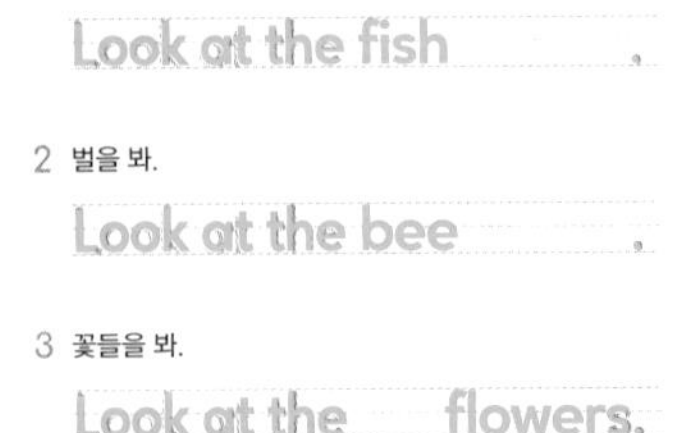

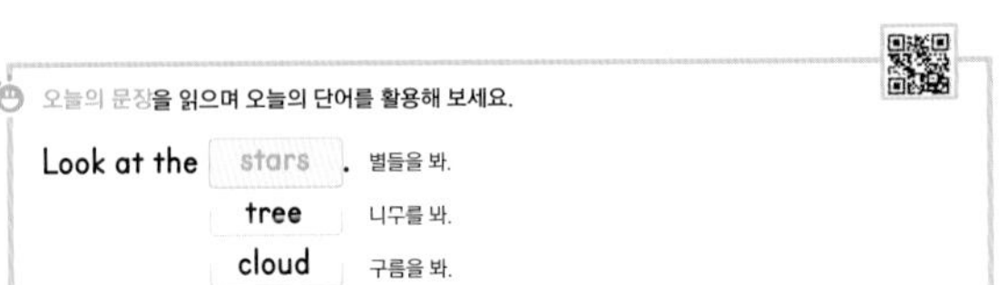

오늘의 문장을 읽으며 오늘의 단어를 활용해 보세요.

Look at the stars. 별들을 봐.
tree 나무를 봐.
cloud 구름을 봐.

61

DAY 13 pp. 66~67

Ⓐ 그림을 보고, 알맞은 단어를 고르세요.

1 airplane / subway (airplane circled)
2 train / ship (ship circled)
3 car / taxi (car circled)

Ⓑ 그림을 보고, 알맞은 단어와 우리말 뜻을 연결하세요.

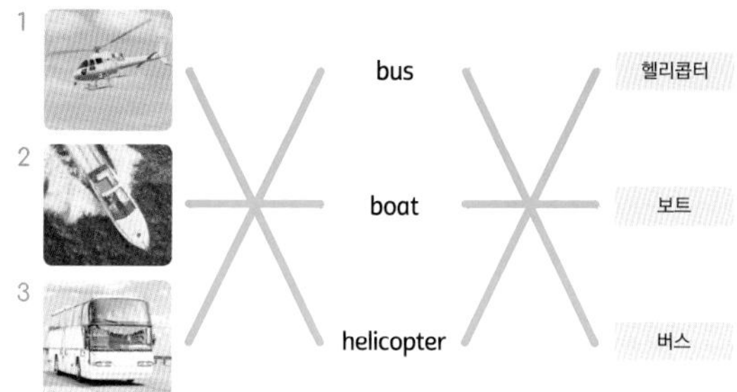

1 helicopter — 헬리콥터
2 boat — 보트
3 bus — 버스

Ⓒ 우리말에 맞게 빈칸에 알맞은 알파벳을 써서 단어를 완성하세요.

1 타다 t a k e
2 기차 t r ain
3 택시 t a x i
4 지하철 su b w ay

Ⓓ 그림을 보고, 알맞은 단어를 찾아 쓰세요.

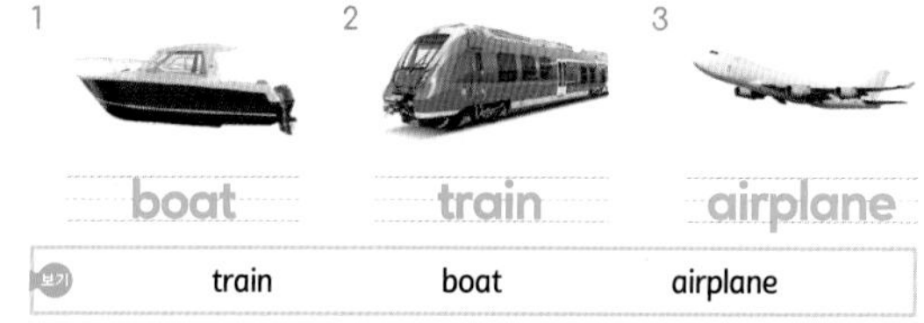

1 boat 2 train 3 airplane

보기 train boat airplane

Ⓔ 우리말에 맞게 알맞은 단어를 써서 문장을 완성하세요.

1 택시를 타.
Take a taxi.

2 지하철을 타.
Take a subway.

3 자동차를 타.
Take a car.

take a/an 뒤에 교통수단을 나타내는 단어를 넣어서 그것을 타라고 지시하는 말을 할 수 있어요.

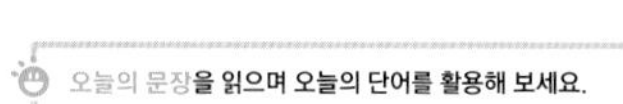

오늘의 문장을 읽으며 오늘의 단어를 활용해 보세요.

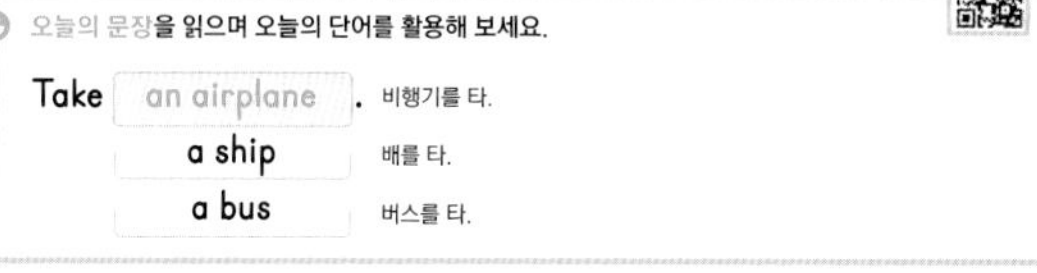

Take an airplane. 비행기를 타.
a ship 배를 타.
a bus 버스를 타.

DAY 14 pp. 70~71

Ⓐ 그림을 보고, 알맞은 단어를 골라 기호를 쓰세요.

ⓒ ⓑ ⓐ

보기 ⓐ big ⓑ clean ⓒ short

Ⓑ 단어를 읽고, 반대말끼리 연결하세요.

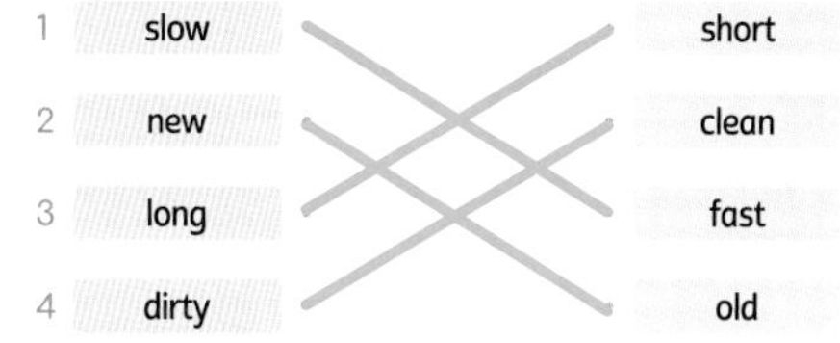

1 slow — fast
2 new — old
3 long — short
4 dirty — clean

Ⓒ 우리말에 맞게 알파벳을 바르게 배열하여 단어를 쓰세요.

1	작은	small (a, l, m, l, s)	2	빠른	fast (t, f, s, a)
3	더러운	dirty (i, y, r, t, d)	4	새로운	new (e, w, n)
5	깨끗한	clean (a, c, e, l, n)	6	오래된	old (d, o, l)

Ⓓ 그림을 보고, 빈칸에 알맞은 알파벳을 써서 단어를 완성하세요.

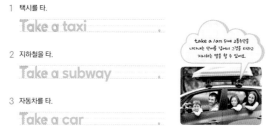

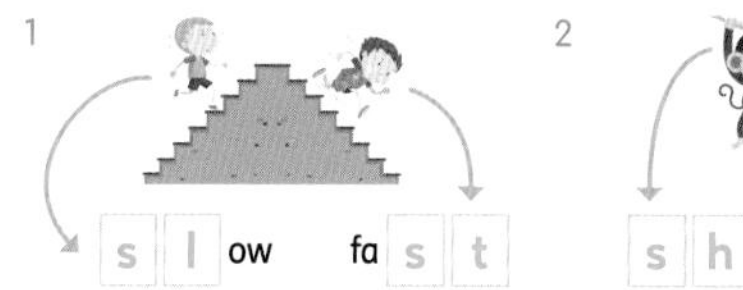

1 s l ow fa s t

2 s h ort lo n g

Ⓔ 우리말에 맞게 알맞은 단어를 써서 문장을 완성하세요.

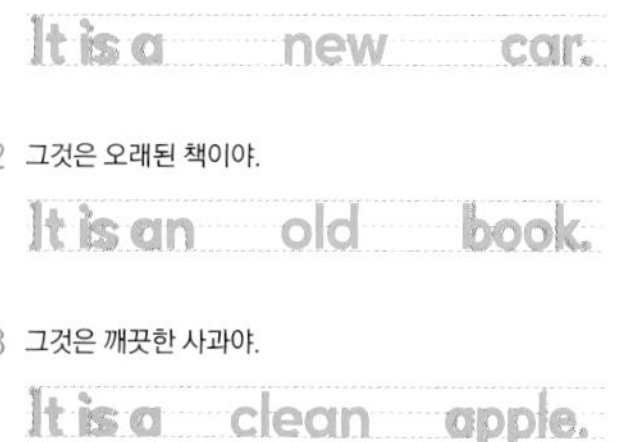

1 그것은 새 자동차야.
It is a new car.

2 그것은 오래된 책이야.
It is an old book.

3 그것은 깨끗한 사과야.
It is a clean apple.

big elephant(큰 코끼리)와 같이 사람 또는 사물을 나타내는 단어 앞에 꾸며주는 단어, 형용사가 와서 모양 또는 상태를 꾸며 줄 수 있어요.

오늘의 문장을 읽으며 오늘의 단어를 활용해 보세요.

It is a big elephant. 그것은 큰 코끼리야.
small 그것은 작은 코끼리야.
slow 그것은 느린 코끼리야.

DAY 15 pp. 74~75

Ⓐ 그림을 보고, 알맞은 단어를 고르세요.

1 swim (ski) — 정답: swim
2 jump (climb) — 정답: jump
3 (fly) run — 정답: run

Ⓑ 그림을 보고, 알맞은 단어와 우리말 뜻을 연결하세요.

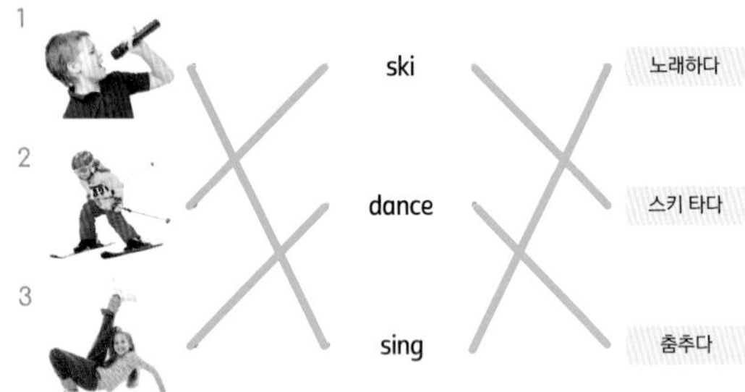

Ⓒ 우리말에 맞게 빈칸에 알맞은 알파벳을 써서 단어를 완성하세요.

1 스케이트 타다 s k ate　2 날다 f l y
3 오르다 c lim b　4 쓰다 w ri t e

74

Ⓓ 그림을 보고, 알맞은 단어를 찾아 쓰세요.

1 fly　2 dance　3 skate

보기 fly skate dance

Ⓔ 우리말에 맞게 알맞은 단어를 써서 문장을 완성하세요.

1 나는 쓸 수 있어.
I can write .

2 나는 오를 수 있어.
I can climb .

3 나는 달릴 수 없어.
I can't run .

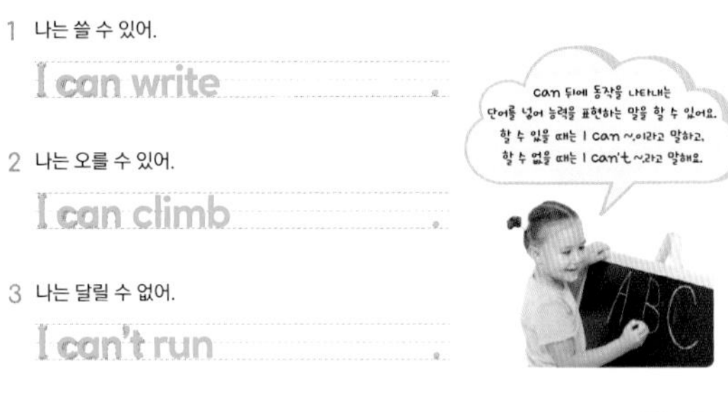

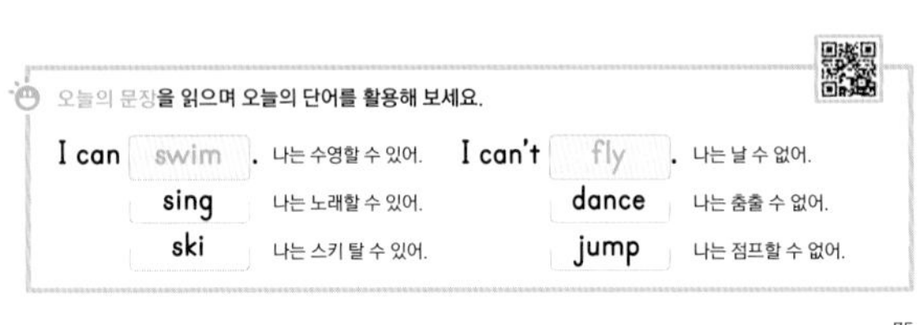

오늘의 문장을 읽으며 오늘의 단어를 활용해 보세요.

I can swim . 나는 수영할 수 있어.
sing 나는 노래할 수 있어.
ski 나는 스키 탈 수 있어.

I can't fly . 나는 날 수 없어.
dance 나는 춤출 수 없어.
jump 나는 점프할 수 없어.

75

DAY 16 pp. 78~79

Ⓐ 그림을 보고, 알맞은 단어를 골라 기호를 쓰세요.

ⓒ ⓑ ⓐ

보기 ⓐ make ⓑ paint ⓒ ride

Ⓑ 그림을 보고, 알맞은 단어와 연결한 다음 우리말 뜻을 쓰세요.

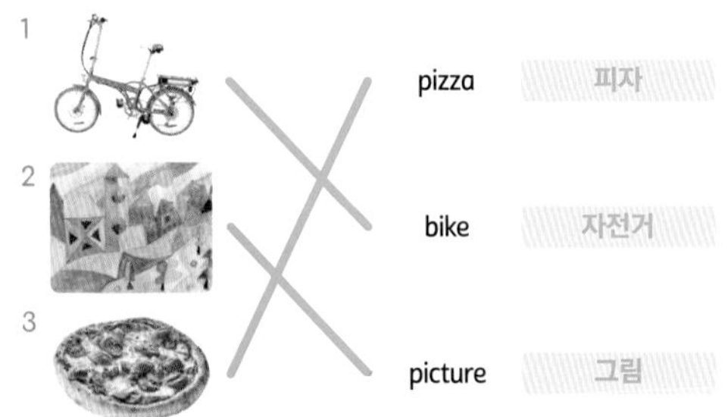

pizza 피자
bike 자전거
picture 그림

Ⓒ 우리말에 맞게 알파벳을 바르게 배열하여 단어를 쓰세요.

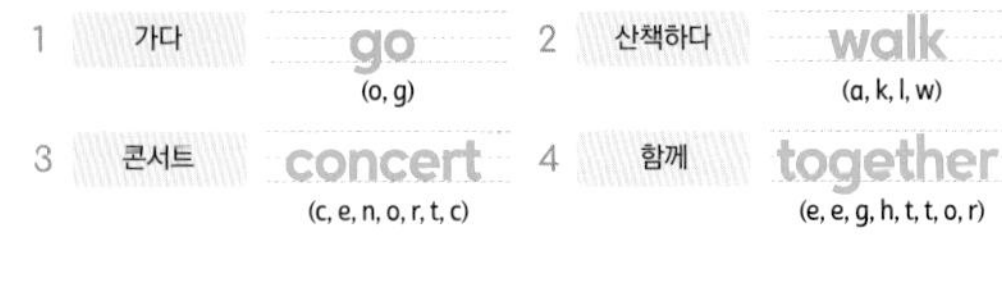

1 가다 go (o, g)　2 산책하다 walk (a, k, l, w)
3 콘서트 concert (c, e, n, o, r, t, c)　4 함께 together (e, e, g, h, t, t, o, r)

78

Ⓓ 그림을 보고, 빈칸에 알맞은 알파벳을 써서 단어를 완성하세요.

1 pict u r e　2 wa l k　3 r i d e

Ⓔ 우리말에 맞게 알맞은 단어를 써서 문장을 완성하세요.

1 같이 걷자.
Let's walk together.

2 피자를 만들자.
Let's make a pizza.

3 그림을 칠하자.
Let's paint a picture.

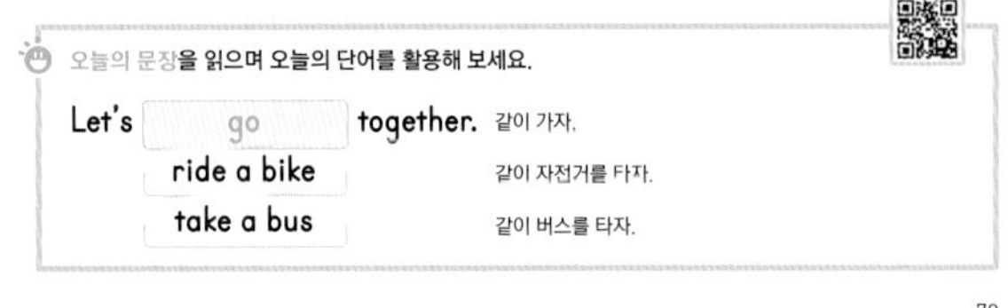

오늘의 문장을 읽으며 오늘의 단어를 활용해 보세요.

Let's go together. 같이 가자.
ride a bike 같이 자전거를 타자.
take a bus 같이 버스를 타자.

79

DAY 17 pp. 84~85

Ⓐ 그림을 보고, 알맞은 단어를 골라 기호를 쓰세요.

ⓒ ⓐ ⓑ

보기 ⓐ basketball ⓑ badminton ⓒ baseball

Ⓑ 그림을 보고, 알맞은 단어와 연결한 다음 우리말 뜻을 쓰세요.

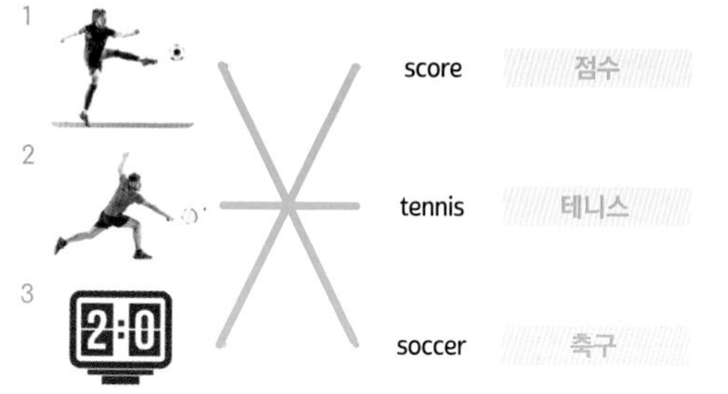

1 score 점수

2 tennis 테니스

3 soccer 축구

Ⓒ 우리말에 맞게 알파벳을 바르게 배열하여 단어를 쓰세요.

1 (운동을) 하다 play (a, l, p, y) 2 이기다 win (n, i, w)

3 운동장 playground (g, d, r, n, o, u, a, l, p, y) 4 지다 lose (e, l, s, o)

Ⓓ 그림을 보고, 빈칸에 알맞은 알파벳을 써서 단어를 완성하세요.

1 t enni s 2 playgr o u nd 3 b a s k etball

Ⓔ 우리말에 맞게 알맞은 단어를 써서 문장을 완성하세요.

1 야구하자.
Let's play baseball .

2 축구하자.
Let's play soccer .

3 배드민턴 치자.
Let's play badminton .

Let's play 뒤에 운동을 나타내는 단어를 넣어 어떤 운동을 같이 하자고 제안하는 말을 할 수 있어요.

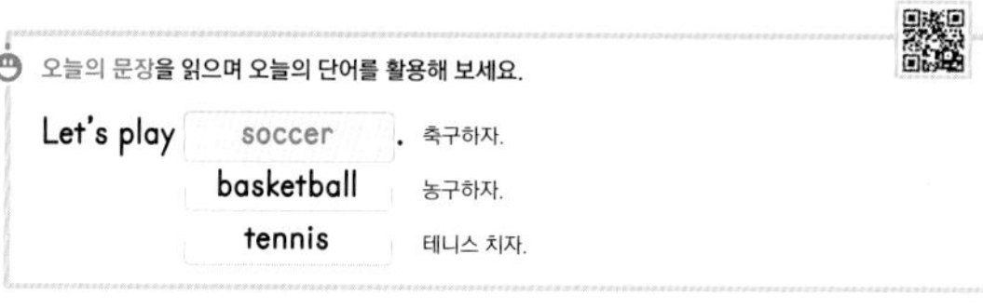

오늘의 문장을 읽으며 오늘의 단어를 활용해 보세요.

Let's play soccer . 축구하자.
basketball 농구하자.
tennis 테니스 치자.

DAY 18 pp. 88~89

Ⓐ 그림을 보고, 알맞은 단어를 골라 기호를 쓰세요.

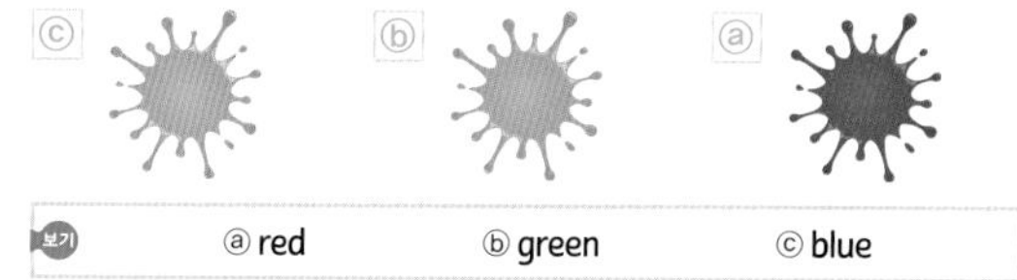

ⓒ ⓑ ⓐ

보기 ⓐ red ⓑ green ⓒ blue

Ⓑ 그림을 보고, 사물의 색을 나타내는 단어와 우리말 뜻을 연결하세요.

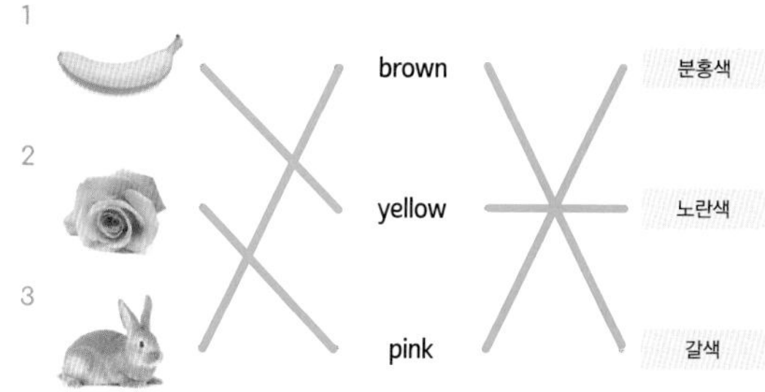

1 brown 분홍색

2 yellow 노란색

3 pink 갈색

Ⓒ 우리말에 맞게 빈칸에 알맞은 알파벳을 써서 단어를 완성하세요.

1 색 c o l or 2 흰색 w h ite

3 회색 g r e y 4 검은색 b l ack

Ⓓ 그림을 보고, 연상되는 색을 찾아 쓰세요.

1 black 2 green 3 yellow

보기 yellow black green

Ⓔ 우리말에 맞게 알맞은 단어를 써서 문장을 완성하세요.

1 그것은 흰색이야.
It is white .

2 그것은 갈색이야.
It is brown .

3 그것은 분홍색이야.
It is pink .

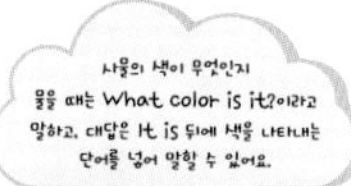

사물의 색이 무엇인지 물을 때는 What color is it?이라고 말하고, 대답은 It is 뒤에 색을 나타내는 단어를 넣어 말할 수 있어요.

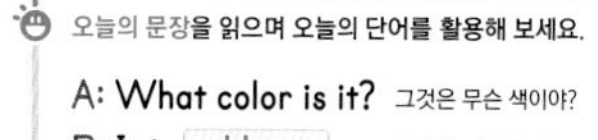

오늘의 문장을 읽으며 오늘의 단어를 활용해 보세요.

A: What color is it? 그것은 무슨 색이야?
B: It is blue . 그것은 파란색이야.
red 그것은 빨간색이야.
grey 그것은 회색이야.

▼ 86쪽 완성 그림

DAY 19 pp. 92~93

Ⓐ 그림을 보고, 알맞은 단어를 고르세요.

1 Sunday / Saturday 2 Monday / Friday 3 Tuesday / Thursday

Ⓑ 우리말에 맞게 알맞은 단어와 연결하세요.

1 어제 — yesterday
2 오늘 — today
3 내일 — tomorrow

Ⓒ 우리말에 맞게 빈칸에 알맞은 알파벳을 써서 단어를 완성하세요.

1 월요일 M o n day 2 화요일 T u e sday
3 수요일 We d n esday 4 금요일 F r iday
5 토요일 S a turday 6 일요일 S u nday

Ⓓ 달력을 보고, 알맞은 단어를 찾아 쓰세요.

1 Sunday 2 Wednesday 3 Thursday

보기 Wednesday Sunday Thursday

Ⓔ 우리말에 맞게 알맞은 단어를 써서 문장을 완성하세요.

1 오늘은 월요일이야.
It is Monday today.

2 오늘은 화요일이야.
It is Tuesday today.

3 오늘은 토요일이야.
It is Saturday today.

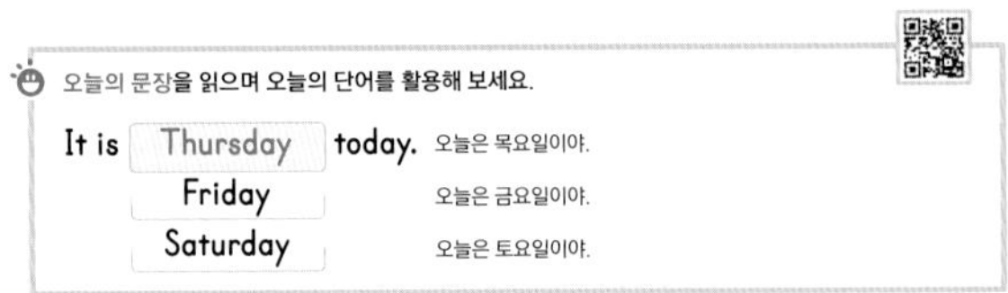

오늘의 문장을 읽으며 오늘의 단어를 활용해 보세요.

It is Thursday today. 오늘은 목요일이야.
Friday 오늘은 금요일이야.
Saturday 오늘은 토요일이야.

DAY 20 pp. 96~97

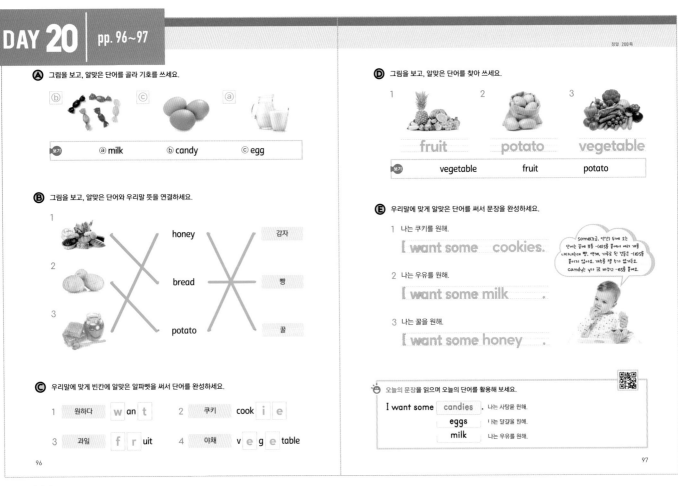

Ⓐ 그림을 보고, 알맞은 단어를 골라 기호를 쓰세요.

ⓑ ⓒ ⓐ

보기 ⓐ milk ⓑ candy ⓒ egg

Ⓑ 그림을 보고, 알맞은 단어와 우리말 뜻을 연결하세요.

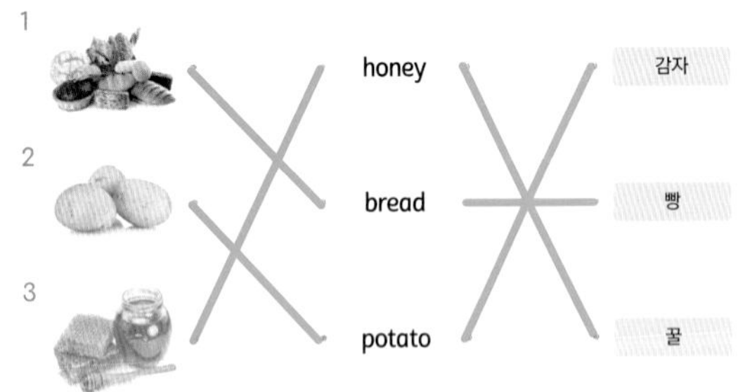

1 — bread — 빵
2 — potato — 감자
3 — honey — 꿀

Ⓒ 우리말에 맞게 빈칸에 알맞은 알파벳을 써서 단어를 완성하세요.

1 원하다 w an t 2 쿠키 cook i e
3 과일 f r uit 4 야채 v e g e table

Ⓓ 그림을 보고, 알맞은 단어를 찾아 쓰세요.

1 fruit 2 potato 3 vegetable

보기 vegetable fruit potato

Ⓔ 우리말에 맞게 알맞은 단어를 써서 문장을 완성하세요.

1 나는 쿠키를 원해.
I want some cookies.

2 나는 우유를 원해.
I want some milk.

3 나는 꿀을 원해.
I want some honey.

오늘의 문장을 읽으며 오늘의 단어를 활용해 보세요.

I want some candies. 나는 사탕을 원해.
eggs 나는 달걀을 원해.
milk 나는 우유를 원해.

DAY 21 pp. 102~103

Ⓐ 그림을 보고, 알맞은 단어를 골라 기호를 쓰세요.

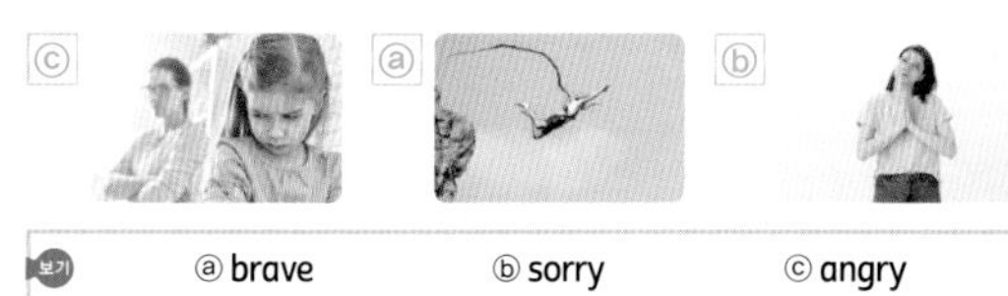

보기 ⓐ brave ⓑ sorry ⓒ angry

Ⓑ 그림을 보고, 알맞은 단어와 우리말 뜻을 연결하세요.

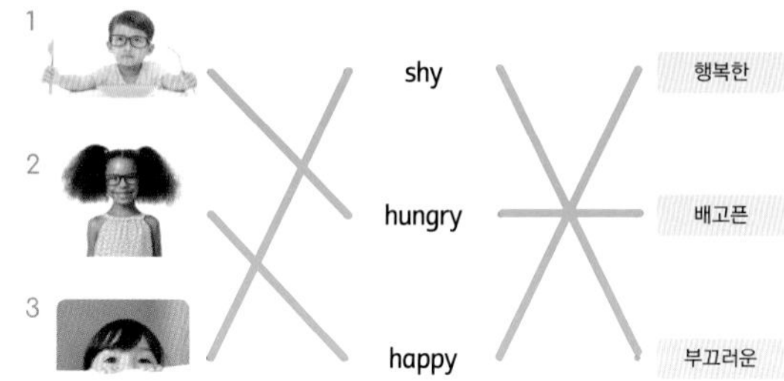

Ⓒ 우리말에 맞게 빈칸에 알맞은 알파벳을 써서 단어를 완성하세요.

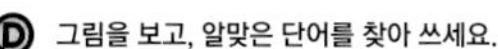

Ⓓ 그림을 보고, 알맞은 단어를 찾아 쓰세요.

보기 angry happy sad

Ⓔ 우리말에 맞게 알맞은 단어를 써서 문장을 완성하세요.

1 나는 목말라.

I am thirsty.

2 그는 두려워.

He is afraid.

3 그녀는 배고파.

She is hungry.

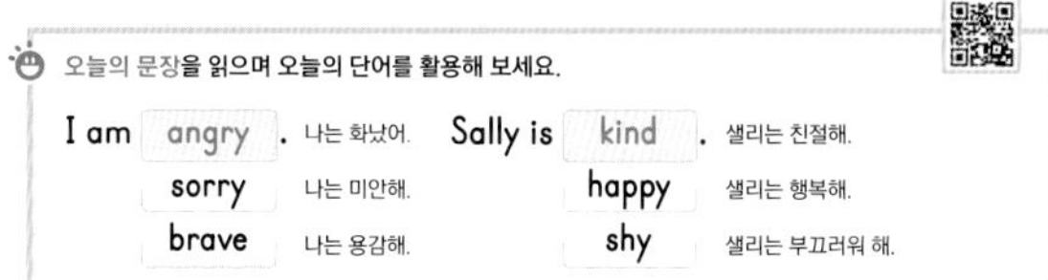

DAY 22 pp. 106~107

Ⓐ 그림을 보고, 알맞은 단어를 고르세요.

Ⓑ 그림을 보고, 알맞은 단어와 연결한 다음 우리말 뜻을 쓰세요.

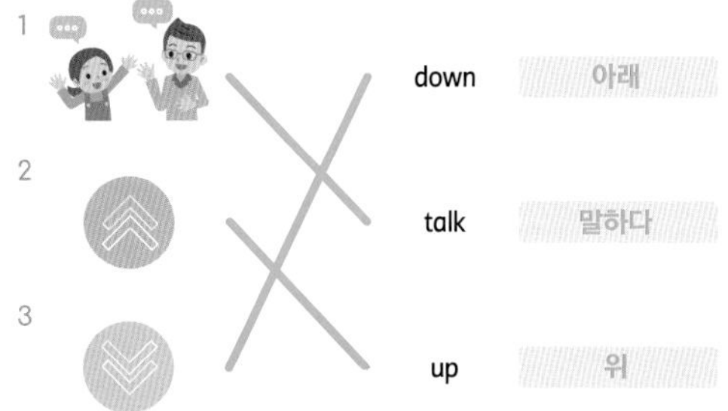

Ⓒ 우리말에 맞게 알파벳을 바르게 배열하여 단어를 쓰세요.

Ⓓ 그림을 보고, 빈칸에 알맞은 알파벳을 써서 단어를 완성하세요.

Ⓔ 우리말에 맞게 알맞은 단어를 써서 문장을 완성하세요.

1 울지 마세요.

Don't cry, please.

2 당기지 마세요.

Don't pull, please.

3 들어가지 마세요.

Don't enter, please.

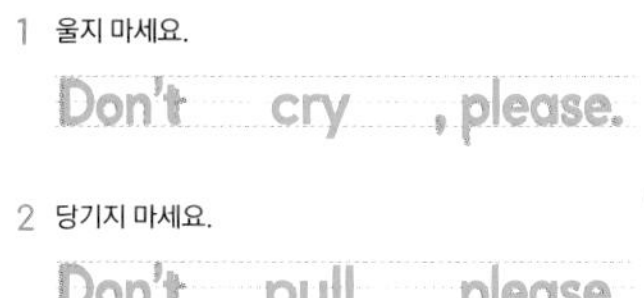

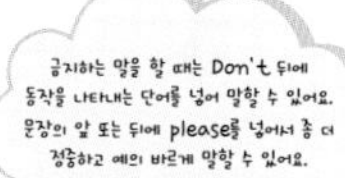

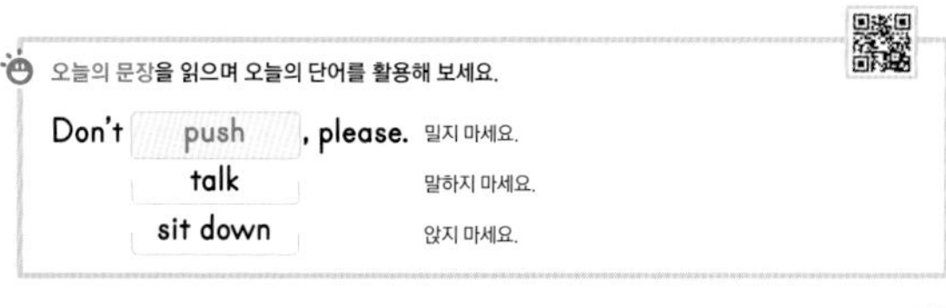

DAY 23 pp. 110~111

Ⓐ 그림을 보고, 알맞은 단어를 골라 기호를 쓰세요.

보기 ⓐ snowing ⓑ windy ⓒ rainbow

Ⓑ 그림을 보고, 알맞은 단어와 우리말 뜻을 연결하세요.

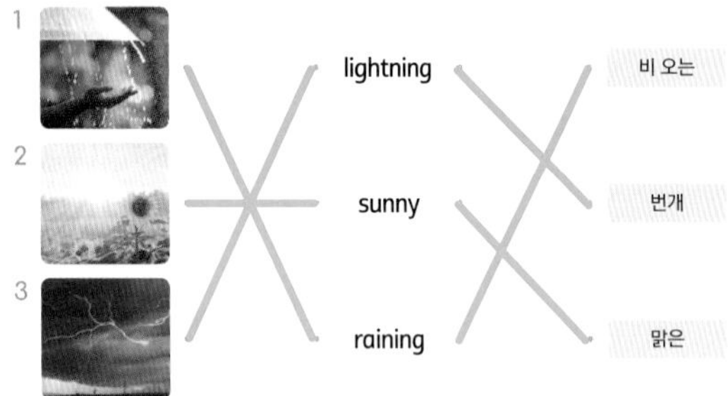

Ⓒ 우리말에 맞게 빈칸에 알맞은 알파벳을 써서 단어를 완성하세요.

1 날씨 wea t h er 2 구름 낀, 흐린 c l oudy

3 안개 낀 fo g g y 4 눈사람 sn o w m an

110

Ⓓ 그림을 보고, 알맞은 단어를 찾아 쓰세요.

1 cloudy 2 snowing 3 lightening

보기 snowing lightning cloudy

Ⓔ 우리말에 맞게 알맞은 단어를 써서 문장을 완성하세요.

1 오늘은 바람이 불어.
It is windy today.

2 오늘은 비가 와.
It is raining today.

3 오늘은 안개가 꼈어.
It is foggy today.

오늘의 문장을 읽으며 오늘의 단어를 활용해 보세요.

It is sunny today. 오늘은 맑아.
cloudy 오늘은 흐려.
snowing 오늘은 눈이 와.

111

DAY 24 pp. 114~115

Ⓐ 그림을 보고, 수를 세어 알맞은 단어를 고르세요.

1 eleven twelve 2 thirteen nineteen 3 fourteen fifteen

Ⓑ 그림을 보고, 알맞은 단어와 연결한 다음 우리말 뜻을 쓰세요.

1 18 2 16 3 14

fourteen 14, 열넷
eighteen 18, 열여덟
sixteen 16, 열여섯

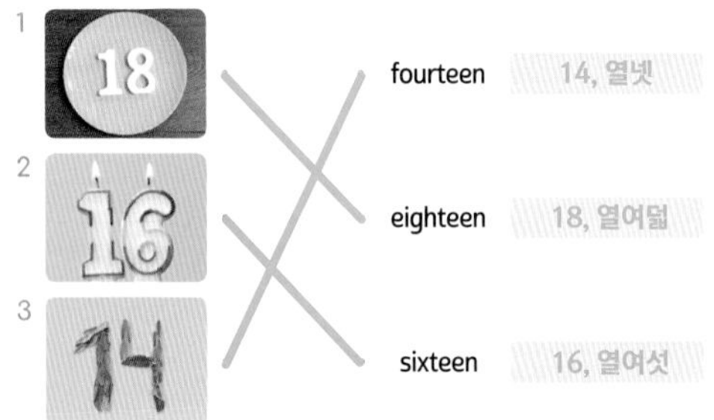

Ⓒ 우리말에 맞게 알파벳을 바르게 배열하여 단어를 쓰세요.

1 12, 열둘 twelve (e, e, l, t, v, w) 2 17, 열일곱 seventeen (t, e, n, s, v, e, n, e, e)

3 19, 열아홉 nineteen (e, e, e, n, n, n, i, t) 4 몇 살 how old (h, w, l, d, o, o)

114

Ⓓ 뺄셈을 풀고, 빈칸에 알맞은 알파벳을 써서 정답 단어를 완성하세요.

1 19-2 s e v e n teen

2 17-3 f o u r teen

3 16-5 e l e v e n

Ⓔ 우리말에 맞게 알맞은 단어를 써서 문장을 완성하세요.

1 나는 12살이야.
I am twelve years old.

2 나는 15살이야.
I am fifteen years old.

3 나는 18살이야.
I am eighteen years old.

오늘의 문장을 읽으며 오늘의 단어를 활용해 보세요.

A: How old are you? 너는 몇 살이니?
B: I am eleven years old. 나는 11살이야.
sixteen 나는 16살이야.
nineteen 나는 19살이야.

115

DAY 25 pp. 120~121

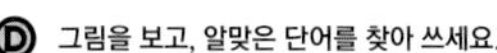

정답 203쪽

Ⓐ 그림을 보고, 알맞은 단어를 골라 기호를 쓰세요.

ⓑ ⓐ ⓒ

보기 ⓐ rich ⓑ busy ⓒ soft

Ⓑ 단어를 읽고, 반대말끼리 연결하세요.

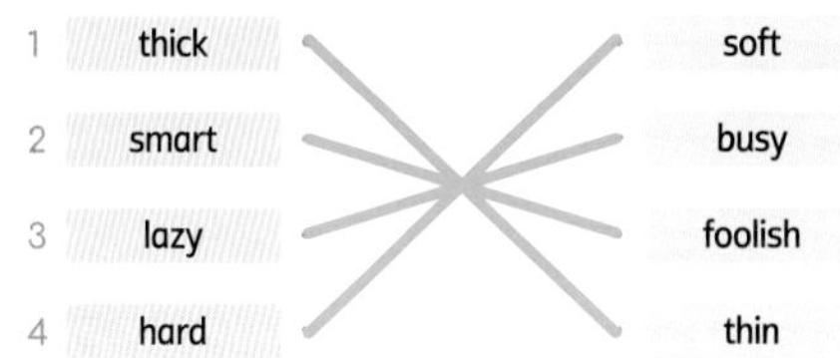

1 thick — thin
2 smart — foolish
3 lazy — busy
4 hard — soft

Ⓒ 우리말에 맞게 빈칸에 알맞은 알파벳을 써서 단어를 완성하세요.

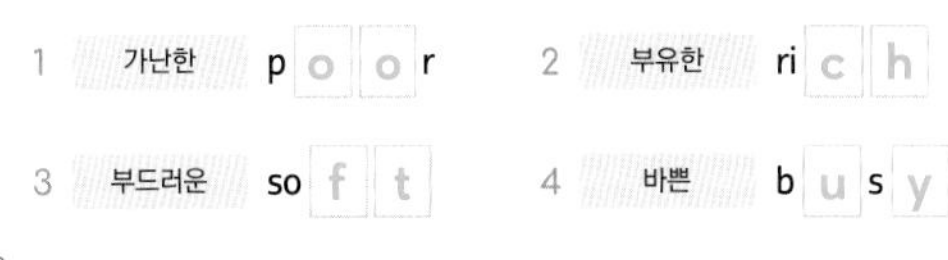

1 가난한 p o o r
2 부유한 ri c h
3 부드러운 so f t
4 바쁜 b u s y

Ⓓ 그림을 보고, 알맞은 단어를 찾아 쓰세요.

1 thin 2 lazy 3 hard

보기 lazy hard thin

Ⓔ 우리말에 맞게 알맞은 단어를 써서 문장을 완성하세요.

1 정말 어리석구나!
How foolish !

2 정말 똑똑하구나!
How smart !

3 정말 두껍구나!
How thick !

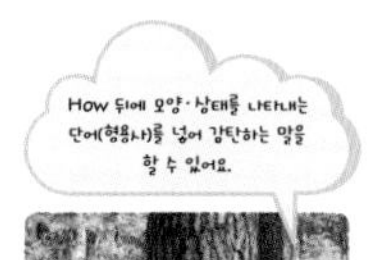

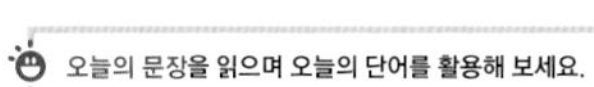

오늘의 문장을 읽으며 오늘의 단어를 활용해 보세요.

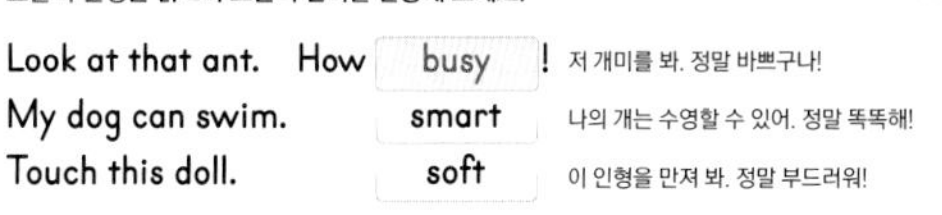

Look at that ant. How busy ! 저 개미를 봐. 정말 바쁘구나!
My dog can swim. smart 나의 개는 수영할 수 있어. 정말 똑똑해!
Touch this doll. soft 이 인형을 만져 봐. 정말 부드러워!

DAY 26 pp. 124~125

정답 203쪽

Ⓐ 그림을 보고, 알맞은 단어를 고르세요.

1 bat (on)
2 (in) basket
3 table (under)

Ⓑ 그림을 보고, 알맞은 단어와 연결한 다음 우리말 뜻을 쓰세요.

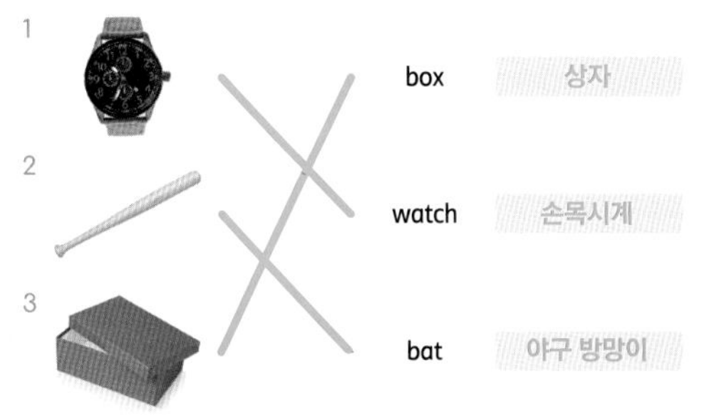

box 상자
watch 손목시계
bat 야구 방망이

Ⓒ 우리말에 맞게 알파벳을 바르게 배열하여 단어를 쓰세요.

1 어디에 where (e, h, e, r, w)
2 탁자 table (a, b, e, l, t)
3 바구니 basket (a, b, e, k, s, t)
4 공책 notebook (b, e, k, n, t, o, o, o)

Ⓓ 그림을 보고, 빈칸에 알맞은 알파벳을 써서 단어를 완성하세요.

1 b a sket
2 u n der
3 w a t ch

Ⓔ 우리말에 맞게 알맞은 단어를 써서 문장을 완성하세요.

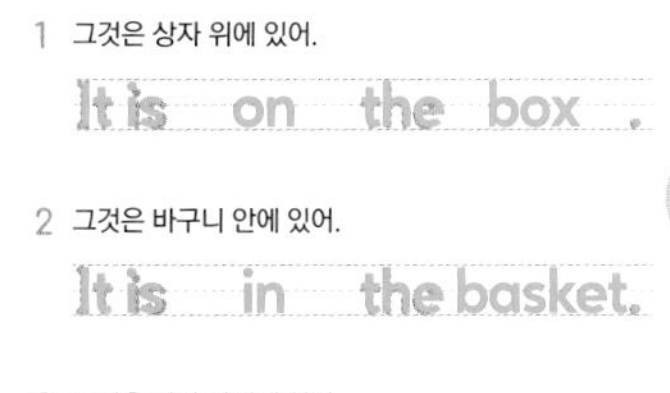

1 그것은 상자 위에 있어.
It is on the box .

2 그것은 바구니 안에 있어.
It is in the basket.

3 그것은 탁자 아래에 있어.
It is under the table .

자기 물건이 어디에 있는지 물을 때는 Where is my 뒤에 물건을 나타내는 단어를 넣어 말하고, 대답은 It is 뒤에 장소를 나타내는 단어를 넣어 말할 수 있어요.

오늘의 문장을 읽으며 오늘의 단어를 활용해 보세요.

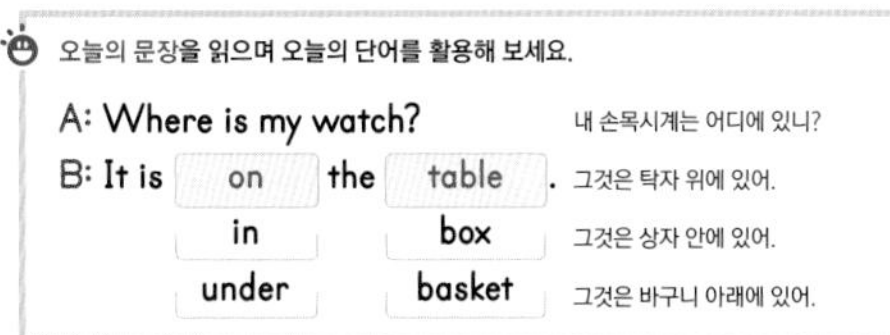

A: Where is my watch? 내 손목시계는 어디에 있니?
B: It is on the table . 그것은 탁자 위에 있어.
in box 그것은 상자 안에 있어.
under basket 그것은 바구니 아래에 있어.

DAY 27 pp. 128~129

Ⓐ 그림을 보고, 알맞은 단어를 골라 기호를 쓰세요.

ⓒ ⓑ ⓐ

보기 ⓐ living room ⓑ kitchen ⓒ bedroom

Ⓑ 그림을 보고, 알맞은 단어와 우리말 뜻을 연결하세요.

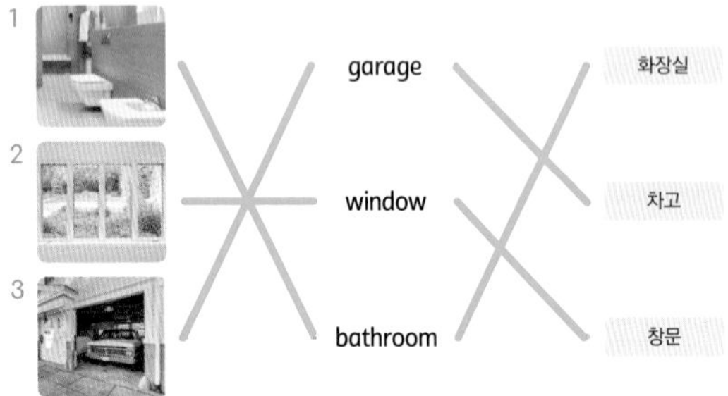

1 2 3

garage 화장실

window 차고

bathroom 창문

Ⓒ 우리말에 맞게 빈칸에 알맞은 알파벳을 써서 단어를 완성하세요.

1 문 d o o r 2 벽 w a ll

3 바닥 f l oor 4 정원 g a rd e n

Ⓓ 그림을 보고, 알맞은 단어를 찾아 쓰세요.

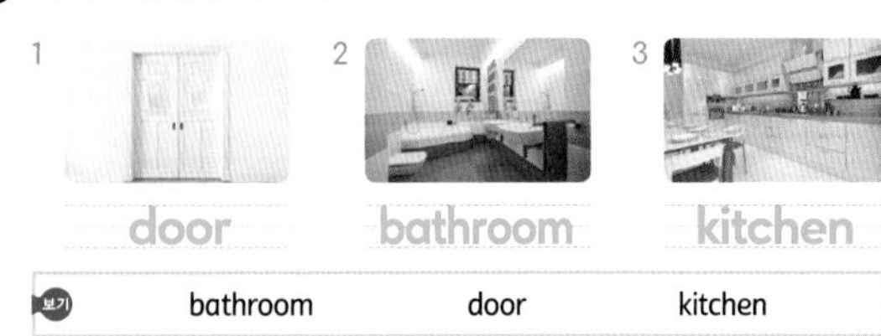

1 door 2 bathroom 3 kitchen

보기 bathroom door kitchen

Ⓔ 우리말에 맞게 알맞은 단어를 써서 문장을 완성하세요.

1 나는 거실에 있어.

I am in the living room .

2 그는 침실에 있어.

He is in the bedroom .

3 그녀는 화장실에 있어.

She is in the bathroom .

오늘의 문장을 읽으며 오늘의 단어를 활용해 보세요.

I am	in the	kitchen	. 나는 주방에 있어.
My dad is		garage	나의 아빠는 차고에 계셔.
My sister is		living room	나의 언니는 거실에 있어.

DAY 28 pp. 132~133

Ⓐ 그림을 보고, 알맞은 단어를 고르세요.

1 (spring) cold 2 winter (summer) 3 (fall) hot

Ⓑ 그림을 보고, 알맞은 단어와 연결한 다음 우리말 뜻을 쓰세요.

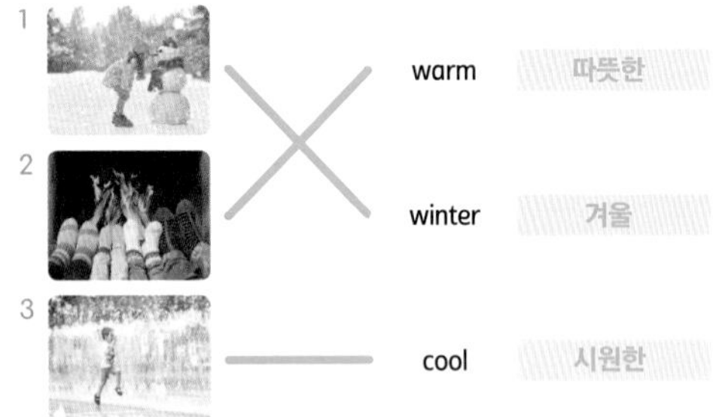

1 2 3

warm 따뜻한

winter 겨울

cool 시원한

Ⓒ 우리말에 맞게 알파벳을 바르게 배열하여 단어를 쓰세요.

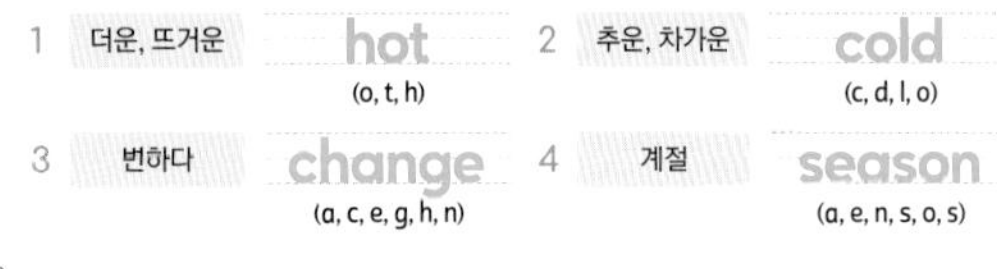

1 더운, 뜨거운 hot (o, t, h) 2 추운, 차가운 cold (c, d, l, o)

3 변하다 change (a, c, e, g, h, n) 4 계절 season (a, e, n, s, o, s)

Ⓓ 그림을 보고, 빈칸에 알맞은 알파벳을 써서 단어를 완성하세요.

1 h o t 2 w i nter 3 s p r ing

Ⓔ 우리말에 맞게 알맞은 단어를 써서 문장을 완성하세요.

1 여름은 더워.

It is hot in summer .

2 가을은 시원해.

It is cool in fall .

3 겨울은 추워.

It is cold in winter .

오늘의 문장을 읽으며 오늘의 단어를 활용해 보세요.

It is	warm	in	spring	. 봄은 따뜻해.
	hot		summer	여름은 더워.
	cool		fall	가을은 시원해.
	cold		winter	겨울은 추워.

DAY 29 pp. 138~139

Ⓐ 그림을 보고, 알맞은 단어를 고르세요.

1 twenty **breakfast** 2 **lunch** time 3 **dinner** forty

Ⓑ 그림을 보고, 알맞은 단어와 우리말 뜻을 연결하세요.

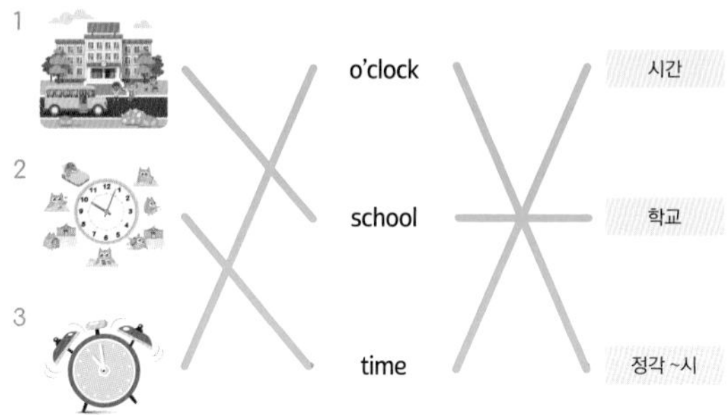

1	o'clock	시간
2	school	학교
3	time	정각 ~시

Ⓒ 우리말에 맞게 빈칸에 알맞은 알파벳을 써서 단어를 완성하세요.

1 20, 스물 t w enty 2 30, 서른 t h irty

3 40, 마흔 f o r ty 4 50, 쉰 f i f ty

Ⓓ 그림을 보고, 알맞은 단어를 찾아 쓰세요.

1 school 2 twenty 3 lunch

보기 twenty lunch school

Ⓔ 우리말에 맞게 알맞은 단어를 써서 문장을 완성하세요.

1 8시 30분이야.

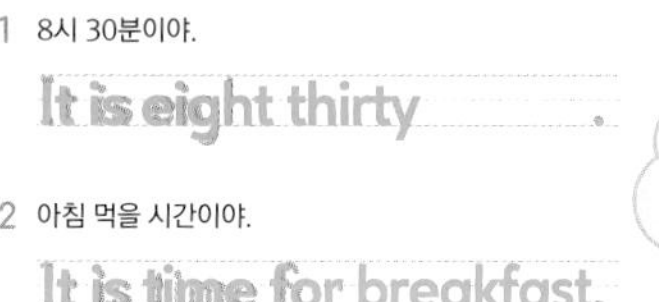

It is eight thirty.

2 아침 먹을 시간이야.

It is time for breakfast.

3 학교 갈 시간이야.

It is time for school.

시간을 말할 때는
「It is + 시 + 분.」으로, 정각은
「It is + 시 + o'clock.」이라고 말해요.
일과를 말할 때는 It is time for 뒤에
일과를 나타내는 단어를 넣어 말할 수 있어요.

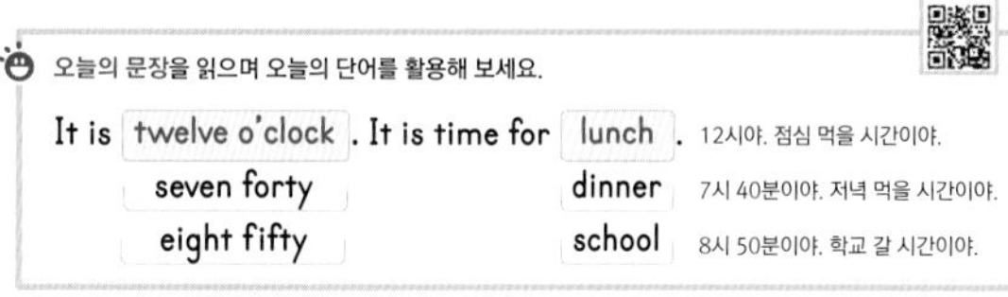

오늘의 문장을 읽으며 오늘의 단어를 활용해 보세요.

It is twelve o'clock. It is time for lunch. 12시야. 점심 먹을 시간이야.
seven forty / dinner 7시 40분이야. 저녁 먹을 시간이야.
eight fifty / school 8시 50분이야. 학교 갈 시간이야.

DAY 30 pp. 142~143

Ⓐ 그림을 보고, 알맞은 단어를 골라 기호를 쓰세요.

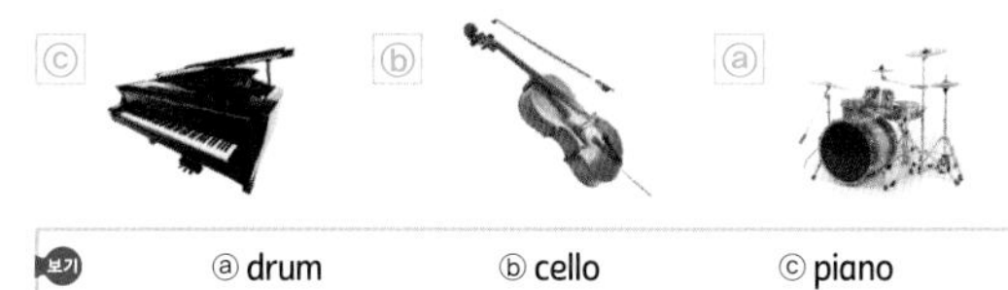

ⓒ ⓑ ⓐ

보기 ⓐ drum ⓑ cello ⓒ piano

Ⓑ 그림을 보고, 알맞은 단어와 연결한 다음 우리말 뜻을 쓰세요.

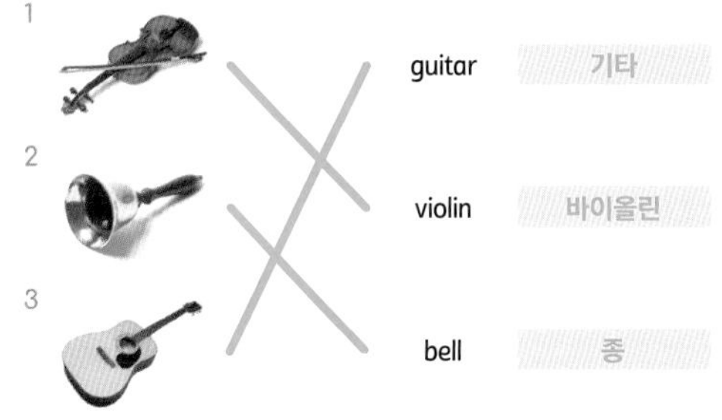

1	guitar	기타
2	violin	바이올린
3	bell	종

Ⓒ 우리말에 맞게 알파벳을 바르게 배열하여 단어를 쓰세요.

1 밴드, 악단 band (a, b, d, n) 2 무대 stage (a, e, g, s, t)

3 카메라 camera (a, r, e, m, a, c) 4 스피커 speaker (r, e, k, e, a, p, s)

Ⓓ 그림을 보고, 빈칸에 알맞은 알파벳을 써서 단어를 완성하세요.

1 ca m e ra 2 v i olin 3 b a n d

Ⓔ 우리말에 맞게 알맞은 단어를 써서 문장을 완성하세요.

1 나는 첼로를 연주할 수 있어.

I can play the cello.

2 나는 기타를 연주할 수 있어.

I can play the guitar.

3 나는 바이올린을 연주할 수 있어.

I can play the violin.

play는 '놀다', '(운동을) 하다'라는
뜻 외에 '(악기를) 연주하다'라는 뜻도 있어요.
play 뒤에 나오는 악기 단어 앞에는
항상 the를 넣는 것 잊지 마세요.

오늘의 문장을 읽으며 오늘의 단어를 활용해 보세요.

I can play the piano. 나는 피아노를 연주할 수 있어.
bells 나는 종을 연주할 수 있어.
drums 나는 드럼을 연주할 수 있어.

DAY 31 pp. 146~147

Ⓐ 그림을 보고, 알맞은 단어를 고르세요.

1 cook clean
2 study sleep
3 help read

Ⓑ 그림을 보고, 알맞은 단어와 우리말 뜻을 연결하세요.

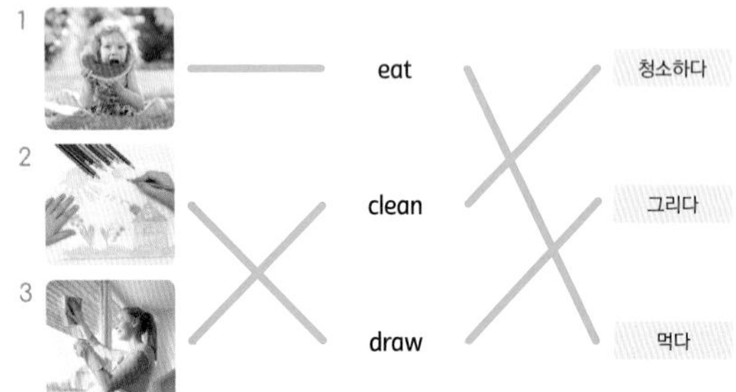

eat 청소하다
clean 그리다
draw 먹다

Ⓒ 우리말에 맞게 빈칸에 알맞은 알파벳을 써서 단어를 완성하세요.

1 돕다 h el p
2 방 r oo m
3 공부하다 s t u d y
4 신문 n e w spaper

Ⓓ 우리말에 맞게 알맞은 단어를 쓰세요.

1 그리다 draw + ing → 그리고 있는 drawing
2 청소하다 clean + ing → 청소하고 있는 cleaning
3 읽다 read + ing → 읽고 있는 reading
4 돕다 help + ing → 돕고 있는 helping
5 먹다 eat + ing → 먹고 있는 eating
6 공부하다 study + ing → 공부하고 있는 studying

Ⓔ 우리말에 맞게 알맞은 단어를 써서 문장을 완성하세요.

1 그녀는 공부하고 있어.
She is studying.

2 그들은 자고 있어.
They are sleeping.

3 나는 방을 청소하고 있어.
I am cleaning the room.

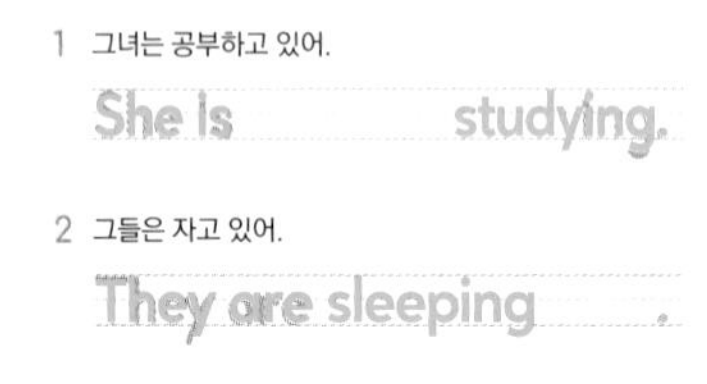

오늘의 문장을 읽으며 오늘의 단어를 활용해 보세요.

I am studying / cooking . He is sleeping / eating . 나는 공부하고 있어. 그는 자고 있어. / 나는 요리하고 있어. 그는 먹고 있어.

DAY 32 pp. 150~151

Ⓐ 그림에 알맞은 단어를 골라 기호를 쓰세요.

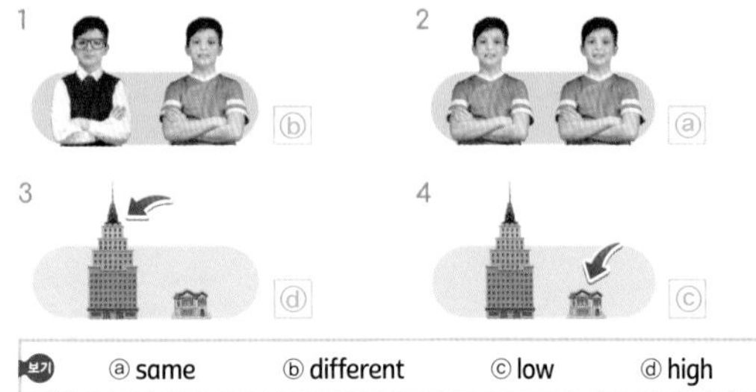

1 ⓑ
2 ⓐ
3 ⓓ
4 ⓒ

보기 ⓐ same ⓑ different ⓒ low ⓓ high

Ⓑ 단어를 읽고, 반대말끼리 연결하세요.

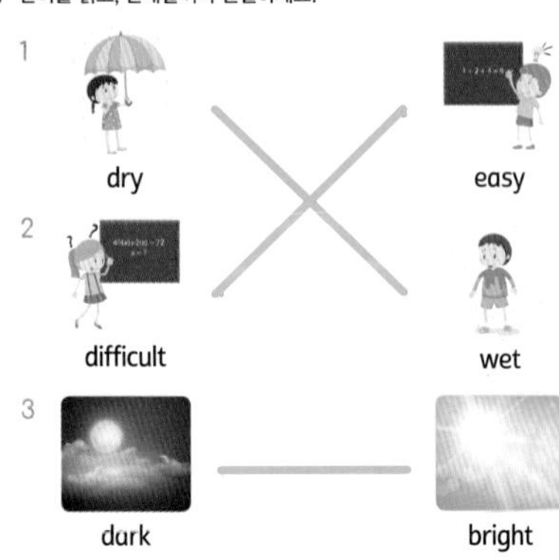

1 dry — wet
2 difficult — easy
3 dark — bright

Ⓒ 우리말에 맞게 알맞은 단어를 찾아 쓰세요.

1 높은 high 낮은 low
2 어려운 difficult 쉬운 easy

보기 easy low difficult high

Ⓓ 우리말에 맞게 알맞은 단어를 써서 문장을 완성하세요.

1 이 개는 젖어 있어.
This dog is wet.

2 그 인형들은 같은 거야.
The dolls are the same.

3 그 야구 방망이들은 다른 거야.
The bats are different.

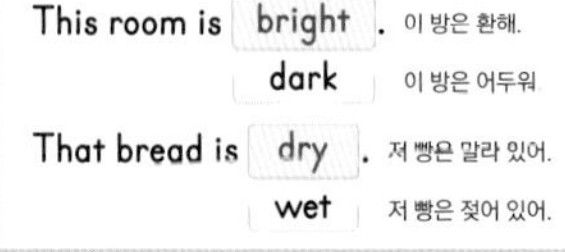

오늘의 문장을 읽으며 오늘의 단어를 활용해 보세요.

This room is bright. 이 방은 환해. / dark 이 방은 어두워
That bread is dry. 저 빵은 말라 있어. / wet 저 빵은 젖어 있어.

DAY 33 | pp. 156~157

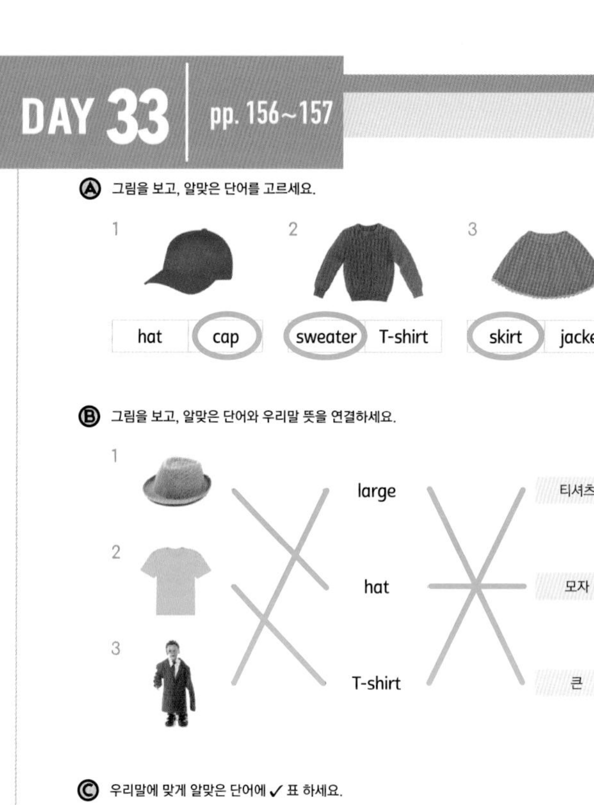

Ⓐ 그림을 보고, 알맞은 단어를 고르세요.

1 hat (cap)
2 (sweater) T-shirt
3 (skirt) jacket

Ⓑ 그림을 보고, 알맞은 단어와 우리말 뜻을 연결하세요.

1	large	티셔츠
2	hat	모자
3	T-shirt	큰

Ⓒ 우리말에 맞게 알맞은 단어에 ✓ 표 하세요.

1	크기	✓ size	large
2	입다	✓ wear	sweater
3	코트	jacket	✓ coat

156

정답 207쪽

Ⓓ 그림을 보고, 알맞은 단어를 골라 문장을 완성하세요.

1 He is wearing a ((cap) / hat).
그는 야구 모자를 쓰고 있어.

2 He is wearing a (sweater / (T-shirt)).
그는 티셔츠를 입고 있어.

3 She is wearing a (cap / (hat)).
그녀는 모자를 쓰고 있어.

4 She is wearing a (coat / (skirt)).
그녀는 스커트를 입고 있어.

Ⓔ 우리말에 맞게 알맞은 단어를 써서 문장을 완성하세요.

1 그는 티셔츠를 입고 있어.
He is wearing a T-shirt.

2 그녀는 야구 모자를 쓰고 있어.
She is wearing a cap.

3 나는 재킷을 입고 있어.
I am wearing a jacket.

옷, 모자, 신발 등을 착용하고 있다고 말할 때는 「~ am/are/is wearing (a/an) + 옷」이라고 말할 수 있어요.

오늘의 문장을 읽으며 오늘의 단어를 활용해 보세요.

He is wearing a hat. 그는 모자를 쓰고 있어.
coat 그는 코트를 입고 있어.
sweater 그는 스웨터를 입고 있어.

157

DAY 34 | pp. 160~161

Ⓐ 그림을 보고, 알맞은 단어를 고르세요.

1 boots (socks)
2 pocket (button)
3 gloves (glasses)

Ⓑ 그림을 보고, 알맞은 단어와 우리말 뜻을 연결하세요.

1	gloves	신발
2	pocket	장갑
3	shoes	호주머니

Ⓒ 우리말에 맞게 알맞은 단어에 ✓ 표 하세요.

1	청바지	✓ jeans	pants
2	~을 입다	pocket	✓ put on
3	장화, 부츠	✓ boots	shoes

160

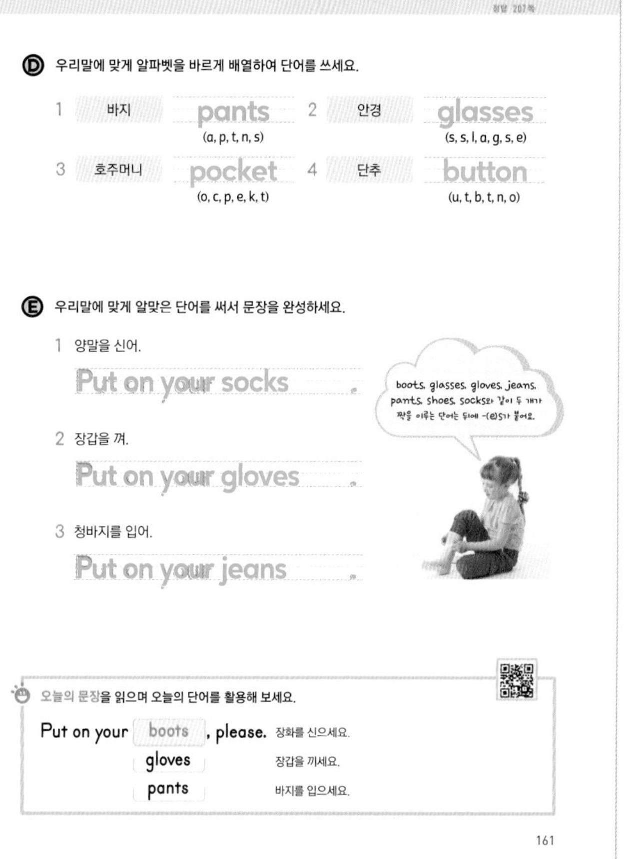

정답 207쪽

Ⓓ 우리말에 맞게 알파벳을 바르게 배열하여 단어를 쓰세요.

1 바지 pants (a, p, t, n, s)
2 안경 glasses (s, s, l, a, g, s, e)
3 호주머니 pocket (o, c, p, e, k, t)
4 단추 button (u, t, b, t, n, o)

Ⓔ 우리말에 맞게 알맞은 단어를 써서 문장을 완성하세요.

1 양말을 신어.
Put on your socks.

2 장갑을 껴.
Put on your gloves.

3 청바지를 입어.
Put on your jeans.

boots, glasses, gloves, jeans, pants, shoes, socks와 같이 두 개가 짝을 이루는 단어는 뒤에 -(e)s가 붙어요.

오늘의 문장을 읽으며 오늘의 단어를 활용해 보세요.

Put on your boots, please. 장화를 신으세요.
gloves 장갑을 끼세요.
pants 바지를 입으세요.

161

DAY 35 | pp. 164~165

A 그림을 보고, 알맞은 단어를 고르세요.

1 (ice cream) sour　2 curry (hamburger)　3 tea (lemonade)

B 그림을 보고, 알맞은 단어와 우리말 뜻을 연결하세요.

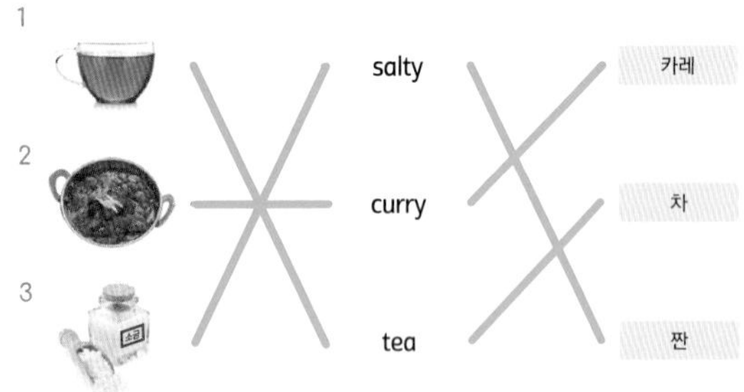

1 — tea — 차
2 — curry — 카레
3 — salty — 짠

C 우리말에 맞게 빈칸에 알맞은 알파벳을 써서 단어를 완성하세요.

1 단, 달콤한 s w eet　2 쓴 bi t t er
3 신, 새콤한 s ou r　4 매운 s p i cy

D 그림을 보고, 알맞은 단어에 ✓ 표 하여 문장을 완성하세요.

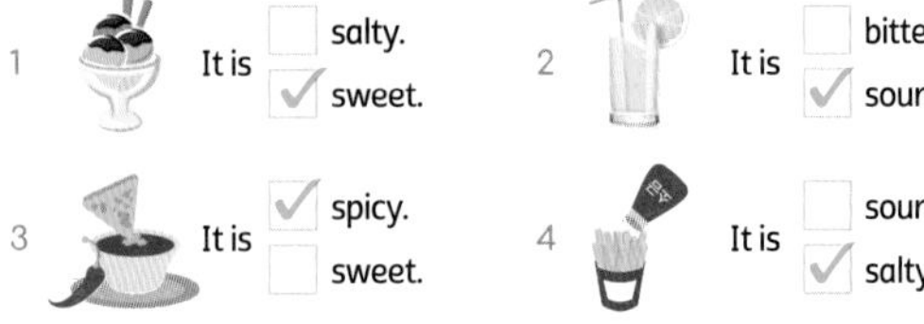

1 It is ☐ salty. ☑ sweet.　2 It is ☐ bitter. ☑ sour.
3 It is ☑ spicy. ☐ sweet.　4 It is ☐ sour. ☑ salty.

E 우리말에 맞게 알맞은 단어를 써서 문장을 완성하세요.

1 차 맛이 어때?

How is your tea ?

2 카레 맛이 어때?
How is your curry ?

3 햄버거 맛이 어때?
How is your hamburger?

상대방이 먹는 음식의 맛을 물을 때는
How is your 뒤에 음식을 나타내는
단어를 넣어 말해요. 대답은 It is 뒤에 맛을
나타내는 단어를 넣어 말해요.

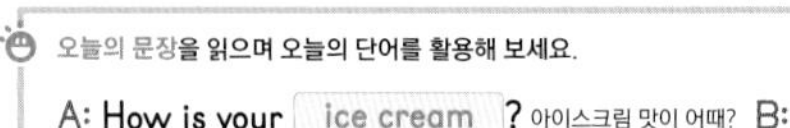

오늘의 문장을 읽으며 오늘의 단어를 활용해 보세요.

A: How is your ice cream ? 아이스크림 맛이 어때? B: It is sweet . 달콤해.
lemonade 레모네이드 맛이 어때? sour 새콤해.
hamburger 햄버거 맛이 어때? salty 짜.

DAY 36 | pp. 168~169

A 그림을 보고, 알맞은 단어를 고르세요.

1 (bowl) dish　2 kettle (cup)　3 (pan) pot

B 그림을 보고, 알맞은 단어를 골라 기호를 쓰세요.

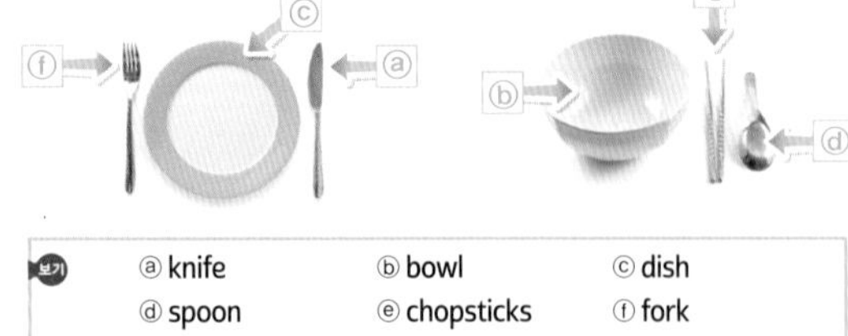

보기
ⓐ knife　ⓑ bowl　ⓒ dish
ⓓ spoon　ⓔ chopsticks　ⓕ fork

C 우리말에 맞게 알맞은 단어에 ✓ 표 하세요.

1 냄비, 솥 ☐ cup ☑ pot
2 포크 ☑ fork ☐ pan
3 주전자 ☑ kettle ☐ knife

D 그림을 보고, 알맞은 단어를 써서 문장을 완성하세요.

1 There is a p o t in the kitchen.
2 There is a c u p in the kitchen.
3 There is a k e t t le in the kitchen.

There is/are ~는 '~이 있다'는 뜻으로 뒤에
나오는 단어가 하나이거나 셀 수 없는 단어이면
There is를, 뒤에 나오는 단어가 둘 이상이면
There are를 사용해요.

E 우리말에 맞게 알맞은 단어를 써서 문장을 완성하세요.

1 주방에 숟가락이 있어.
There is a spoon in the kitchen.

2 주방에 포크가 있어.
There is a fork in the kitchen.

3 주방에 젓가락이 있어.
There are chopsticks in the kitchen.

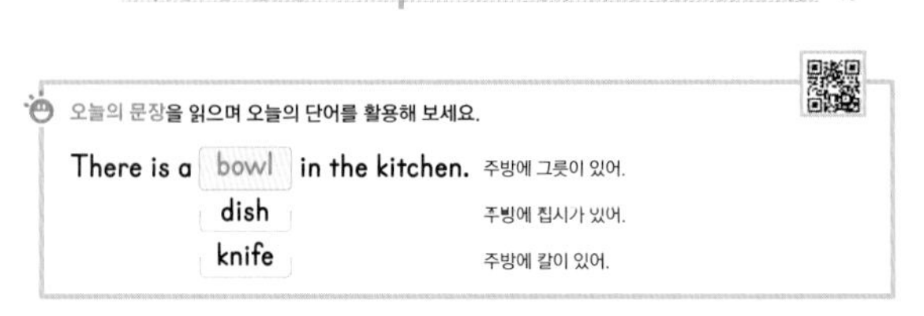

오늘의 문장을 읽으며 오늘의 단어를 활용해 보세요.

There is a bowl in the kitchen. 주방에 그릇이 있어.
dish 주방에 접시가 있어.
knife 주방에 칼이 있어.

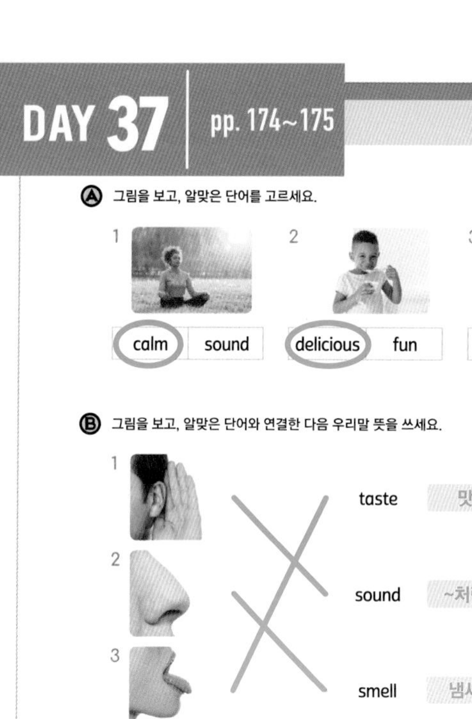

DAY 37 | pp. 174~175

Ⓐ 그림을 보고, 알맞은 단어를 고르세요.

1 calm (circled) / sound
2 delicious (circled) / fun
3 bad / pretty (circled)

Ⓑ 그림을 보고, 알맞은 단어와 연결한 다음 우리말 뜻을 쓰세요.

1 — sound: ~처럼 들리다
2 — smell: 냄새가 나다
3 — taste: 맛이 나다

Ⓒ 우리말에 맞게 알맞은 단어에 ✓ 표 하세요.

1 느끼다 ✓ feel / smell
2 좋은 ✓ nice / bad
3 재미있는 taste / ✓ fun

174

정답 209쪽

Ⓓ 우리말에 맞게 알파벳을 바르게 배열하여 단어를 쓰세요.

1 ~처럼 들리다 sound (o, s, n, d, u)
2 나쁜 bad (b, d, a)
3 맛이 나다 taste (a, t, s, t, e)
4 차분한 calm (c, l, m, a)

Ⓔ 우리말에 맞게 알맞은 단어를 써서 문장을 완성하세요.

1 그것은 재미있겠어.
It sounds fun.

2 그것은 느낌이 좋아.
It feels nice.

3 그것은 나쁜 냄새가 나.
It smells bad.

sound, feel, taste, smell, look 뒤에 형용사를 넣어 감각을 표현하는 말을 할 수 있어요. 이 단어들은 it 뒤에 올 때 항상 -s를 붙여요.

오늘의 문장을 읽으며 오늘의 단어를 활용해 보세요.

It tastes delicious. 그것은 맛있어.
sounds 그것은 맛있게 들려.
smells 그것은 맛있는 냄새가 나.
looks 그것은 맛있어 보여.

It feels nice. 그것은 느낌이 좋아.
bad 그것은 느낌이 나빠.
calm 그것은 차분한 느낌이야.
slow 그것은 느린 느낌이야.

175

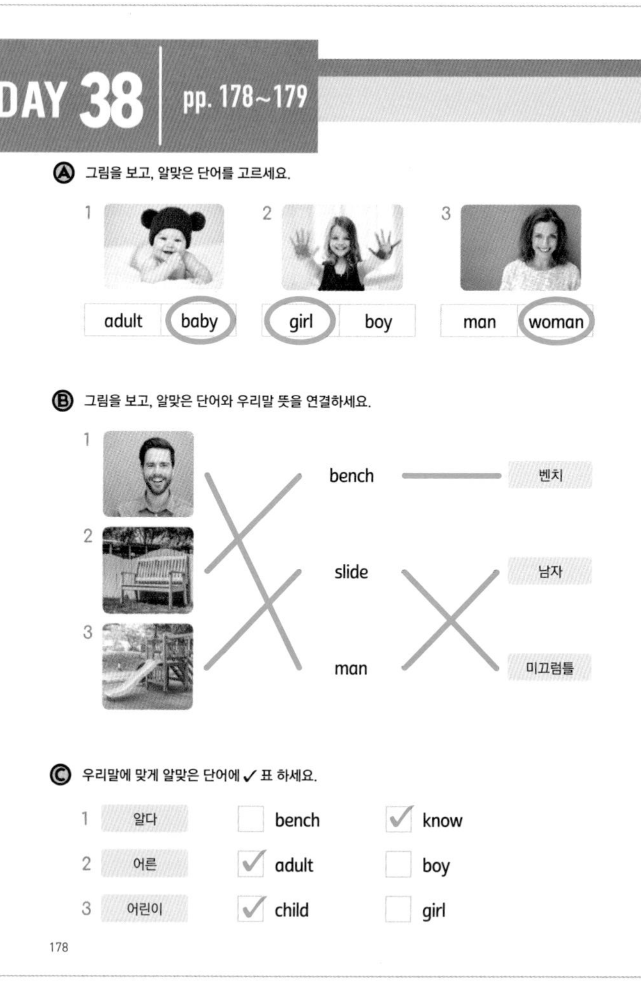

DAY 38 | pp. 178~179

Ⓐ 그림을 보고, 알맞은 단어를 고르세요.

1 adult / baby (circled)
2 girl (circled) / boy
3 man / woman (circled)

Ⓑ 그림을 보고, 알맞은 단어와 우리말 뜻을 연결하세요.

1 — man — 남자
2 — bench — 벤치
3 — slide — 미끄럼틀

Ⓒ 우리말에 맞게 알맞은 단어에 ✓ 표 하세요.

1 알다 bench / ✓ know
2 어른 ✓ adult / boy
3 어린이 ✓ child / girl

178

정답 209쪽

Ⓓ 우리말에 맞게 알맞은 단어를 찾아 쓰세요.

1 남자아이 boy 여자아이 girl
2 아기 baby 어른 adult

보기 baby boy adult girl

Ⓔ 우리말에 맞게 알맞은 단어를 써서 문장을 완성하세요.

1 너는 저 남자를 아니?
Do you know that man ?

2 너는 저 어린이를 아니?
Do you know that child ?

3 너는 저 아기를 아니?
Do you know that baby ?

Do you know ~?에 답할 때는 알면 Yes, I do.라고, 모르면 No, I don't.라고 해요.

오늘의 문장을 읽으며 오늘의 단어를 활용해 보세요.

Do you know that girl ? 너는 저 여자아이를 아니?
boy 너는 저 남자아이를 아니?
woman 너는 저 여자를 아니?

179

DAY 39 pp. 182~183

Ⓐ 그림을 보고, 알맞은 단어를 고르세요.

1  (iguana) cute

2  teenager (parrot)

3  voice (captain)

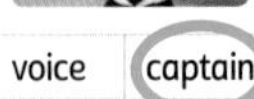

Ⓑ 그림을 보고, 알맞은 단어와 연결한 다음 우리말 뜻을 쓰세요.

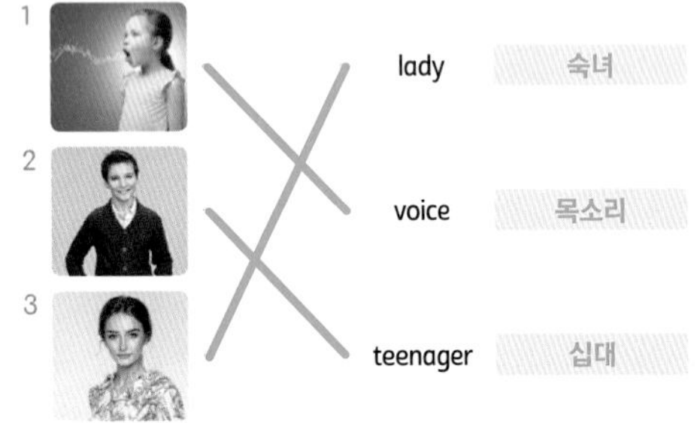

1 — voice 목소리

2 — teenager 십대

3 — lady 숙녀

Ⓒ 우리말에 맞게 알맞은 단어에 ✓ 표 하세요.

1	신사	✓ gentleman	Mr.
2	앵무새	iguana	✓ parrot
3	귀여운	voice	✓ cute

Ⓓ 우리말에 맞게 알맞은 단어를 찾아 쓰세요.

1 신사 gentleman 숙녀 lady 2 (여자) ~ 씨 Ms. (남자) ~ 씨 Mr.

보기 Mr. gentleman Ms. lady

Ⓔ 우리말에 맞게 알맞은 단어를 써서 문장을 완성하세요.

1 저 선장은 빅 씨야.
That captain is Mr. Big.

2 저 숙녀는 케이츠 씨야.
That lady is Ms. Cates.

3 저 신사는 피트 씨야.
That gentleman is Mr. Pitt.

오늘의 문장을 읽으며 오늘의 단어를 활용해 보세요.

That captain is Mr. Brave. 저 선장은 브레이브 씨야.
iguana Mr. Green 저 이구아나는 그린 씨야.
parrot Ms. Smart 저 앵무새는 스마트 씨야.

DAY 40 pp. 186~187

Ⓐ 그림을 보고, 알맞은 단어를 골라 기호를 쓰세요.

보기 ⓐ year ⓑ date ⓒ week ⓓ month ⓔ calendar

Ⓑ 우리말에 맞게 알맞은 단어를 연결하세요.

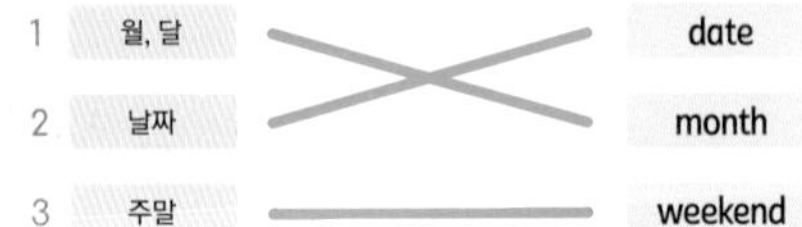

1 월, 달 — month

2 날짜 — date

3 주말 — weekend

Ⓒ 우리말에 맞게 알맞은 단어에 ✓ 표 하세요.

1	축제	✓ festival	calendar
2	기념일	birthday	✓ anniversary
3	휴일	✓ holiday	weekend

Ⓓ 우리말에 맞게 알파벳을 바르게 배열하여 단어를 쓰세요.

1 주 week (e, e, k, w) 2 생일 birthday (a, b, d, h, i, r, t, y)

3 주말 weekend (d, k, n, w, e, e, e) 4 축제 festival (a, e, f, i, l, s, t, v)

Ⓔ 우리말에 맞게 알맞은 단어를 써서 문장을 완성하세요.

1 오늘은 휴일이야.
Today is a holiday.

2 오늘은 네 생일이야.
Today is your birthday.

3 오늘은 우리의 기념일이야.
Today is our anniversary.

오늘의 문장을 읽으며 오늘의 단어를 활용해 보세요.

Today is my birthday. 오늘은 내 생일이야.
the weekend 오늘은 주말이야.
their anniversary 오늘은 그들의 기념일이야.

Review Test

pp. 26~27 DAY 01 02 03 04

A

1 오후	2 너	3 우리	4 그
5 (헤어질 때) 잘 가, 안녕	6 고양이	7 저것	8 꼬리
9 토끼	10 강아지	11 아주 좋은	12 (만났을 때) 안녕
13 좋은	14 형, 오빠, 남동생	15 나	16 아침
17 이름	18 그들	19 괜찮은	20 그녀

B

1 dad	2 night	3 my	4 meet
5 kitty	6 hi / hello	7 bye / goodbye	8 grandpa
9 goldfish	10 friend	11 evening	12 mom
13 dog	14 day	15 this	16 grandma
17 bird	18 what	19 sister	20 your

C

1 kitty	2 rabbit	3 grandpa
4 sister	5 night	

D

1 name	2 I	3 morning
4 She, mom	5 This, tail	

pp. 44~45 DAY 05 06 07 08

A

1 사과	2 수박	3 가방	4 2, 둘
5 풍선	6 장난감 자동차	7 바나나	8 토마토
9 책	10 3, 셋	11 붓	12 교과서
13 의자	14 10, 열	15 크레용	16 선생님
17 책상	18 학생	19 인형	20 딸기

B

1 eight	2 sketchbook	3 eraser	4 skateboard
5 five	6 six	7 four	8 seven
9 grape	10 robot	11 have	12 pencil
13 like	14 pen	15 nine	16 pear
17 one	18 peach	19 orange	20 ball

C

1 doll	2 four	3 strawberries
4 oranges	5 pencil	

D

1 balloon	2 have, eraser	3 seven
4 grape	5 like, watermelon	

Review Test

pp. 62~63

A

1 열다, (눈을) 뜨다	2 움직이다	3 보다	4 하늘
5 닫다, (눈을) 감다	6 개구리	7 엉덩이	8 곰
9 별	10 만지다	11 손가락	12 돌고래
13 구름	14 얼굴	15 발	16 코끼리
17 꽃	18 귀	19 팔	20 여우

B

1 ant	2 eye	3 hand	4 giraffe
5 fish	6 hair	7 head	8 lion
9 tree	10 mouth	11 leg	12 monkey
13 rock	14 nose	15 neck	16 zebra
17 bee	18 tooth	19 knee	20 zoo

C

1 nose	2 eyes	3 hand
4 frog	5 zebra	

D

1 Touch, ear	2 Close, mouth	3 elephant
4 Move, finger	5 Look, tree	

pp. 80~81

A

1 비행기	2 큰	3 수영하다	4 타다
5 보트	6 작은	7 노래하다	8 가다
9 자동차	10 깨끗한	11 타다	12 칠하다
13 헬리콥터	14 더러운	15 스키 타다	16 만들다
17 배	18 새로운	19 스케이트 타다	20 콘서트

B

1 subway	2 old	3 fly	4 pizza
5 train	6 long	7 climb	8 walk
9 bus	10 short	11 write	12 picture
13 taxi	14 slow	15 run	16 bike
17 dance	18 fast	19 jump	20 together

C

1 swim	2 train	3 small
4 long	5 ride	

D

1 run	2 fly	3 Take, subway
4 paint, picture	5 slow, car	

A
1 야구 2 색 3 일요일 4 과일
5 농구 6 검은색 7 월요일 8 야채
9 축구 10 파란색 11 화요일 12 빵
13 배드민턴 14 갈색 15 수요일 16 감자
17 테니스 18 초록색 19 달걀 20 목요일

B
1 play 2 grey 3 Friday 4 honey
5 playground 6 pink 7 Saturday 8 want
9 lose 10 red 11 today 12 milk
13 win 14 white 15 tomorrow 16 candy
17 score 18 yellow 19 yesterday 20 cookie

C
1 basketball 2 honey 3 Saturday
4 Tuesday 5 green

D
1 want, egg 2 play, soccer 3 color
4 red 5 Wednesday

A
1 두려운 2 울다 3 날씨 4 11, 열하나
5 화난 6 당기다 7 구름 낀, 흐린 8 12, 열둘
9 용감한 10 들어가다 11 비 오는 12 13, 열셋
13 미안한 14 싸우다 15 눈 오는 16 14, 열넷
17 행복한 18 밀다 19 바람 부는 20 15, 열다섯

B
1 hungry 2 talk 3 sunny 4 sixteen
5 kind 6 stand 7 rainbow 8 seventeen
9 sad 10 sit 11 snowman 12 eighteen
13 shy 14 up 15 lightning 16 nineteen
17 thirsty 18 down 19 foggy 20 how old

C
1 angry 2 sunny 3 cry
4 fight 5 eleven

D
1 happy, sad 2 enter 3 weather, raining
4 How old 5 twelve

Review Test

pp. 134~135 · DAY 25 26 27 28

A

1 봄	2 바쁜	3 어디에	4 화장실
5 여름	6 게으른	7 ~ 위에	8 침실
9 가을	10 두꺼운	11 ~ 안에	12 주방, 부엌
13 겨울	14 얇은	15 ~ 아래에	16 거실
17 따뜻한	18 가난한	19 손목시계	20 문

B

1 hot	2 rich	3 notebook	4 window
5 cool	6 smart	7 bat	8 garden
9 cold	10 foolish	11 box	12 garage
13 change	14 soft	15 basket	16 wall
17 season	18 hard	19 table	20 floor

C

1 rich	2 bathroom	3 hot
4 spring	5 in	

D

1 kitchen	2 busy	3 Where, watch
4 on, table	5 cold, winter	

pp. 152~153 · DAY 29 30 31 32

A

1 시간	2 피아노	3 요리하다	4 밝은
5 아침 식사	6 기타	7 청소하다	8 어두운
9 점심 식사	10 드럼	11 공부하다	12 다른
13 저녁 식사	14 바이올린	15 그리다	16 같은
17 학교	18 종	19 먹다	20 어려운

B

1 o'clock	2 stage	3 sleep	4 easy
5 twenty	6 camera	7 read	8 wet
9 thirty	10 cello	11 help	12 dry
13 forty	14 speaker	15 newspaper	16 high
17 fifty	18 band	19 room	20 low

C

1 lunch	2 guitar	3 cleaning
4 reading	5 bright	

D

1 drum	2 thirty	3 time, breakfast
4 studying, cooking	5 wet	

A

1 야구 모자	2 장화, 부츠	3 단, 달콤한	4 그릇
5 모자	6 안경	7 짠	8 접시
9 치마	10 장갑	11 신, 새콤한	12 컵
13 입다	14 청바지	15 매운, 매콤한	16 숟가락
17 코트	18 바지	19 쓴	20 칼, 나이프

B

1 jacket	2 shoes	3 ice cream	4 fork
5 T-shirt	6 socks	7 hamburger	8 chopsticks
9 sweater	10 button	11 lemonade	12 pan
13 size	14 pocket	15 curry	16 pot
17 large	18 put on	19 tea	20 kettle

C

1 ice cream	2 sweet	3 coat
4 glasses	5 bowl	

D

1 skirt	2 socks	3 chopsticks
4 curry	5 spicy	

A

1 맛있는	2 아기	3 목소리	4 달력
5 예쁜	6 어린이	7 귀여운	8 날짜
9 차분한	10 어른	11 앵무새	12 주
13 좋은	14 남자아이	15 이구아나	16 주말
17 재미있는	18 여자아이	19 기장, 선장	20 년, 해

B

1 bad	2 man	3 Mr.	4 month
5 sound	6 woman	7 Ms.	8 anniversary
9 feel	10 know	11 gentleman	12 birthday
13 taste	14 slide	15 lady	16 holiday
17 smell	18 bench	19 teenager	20 festival

C

1 smells	2 birthday	3 lady
4 Mr.	5 girl	

D

1 anniversary	2 know, baby	3 lady, Ms.
4 pretty	5 feel	

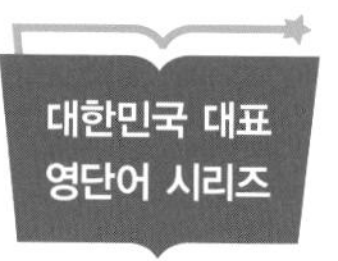

뜯어먹는 초등 필수 영단어 1

뜯어먹는 쓰기 노트

동아출판

1 날짜별로 영단어 쓰기 1과 오늘의 문장 따라 쓰기를 통해 오늘 배운 단어를 복습합니다.

2 뒤집어서 영단어 쓰기 2와 오늘의 문장 완성하기를 합니다.

3 쓰기 연습을 다 했으면 쓰기 노트를 뜯는 선을 따라 뜯으세요.

4 뜯어 낸 쓰기 노트는 고리를 이용하여 미니 단어장으로 만들 수 있습니다.
뒤표지를 오려서 미니 단어장 표지로도 쓸 수 있어요.

영단어 쓰기 1

1 I

2 my

3 you

4 your

5 what

6 name

7 hi

8 hello

9 bye

10 goodbye

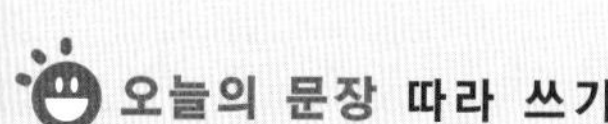

오늘의 문장 따라 쓰기

Hi, my name is Jenny.

안녕, 내 이름은 제니야.

영단어 쓰기 1

1 this

2 that

3 puppy

4 dog

5 kitty

6 cat

7 goldfish

8 bird

9 rabbit

10 tail

오늘의 문장 따라 쓰기

This is a bird.

이것은 새야.

영단어 쓰기 2

1 이것 t

2 저것 t

3 강아지 p

4 개 d

5 새끼 고양이 k

6 고양이 c

7 금붕어 g

8 새 b

9 토끼 r

10 꼬리 t

오늘의 문장 완성하기

This is a ________.

이것은 새야.

영단어 쓰기 2

1 나 I

2 나의 m

3 너 y

4 너의 y

5 무엇 w

6 이름 n

7 (만났을 때) 안녕 h

8 (만났을 때) 안녕 h

9 (헤어질 때) 잘 가, 안녕 b

10 (헤어질 때) 잘 가, 안녕 g

오늘의 문장 완성하기

________, my name is ________.

자기 이름을 써 보세요.

안녕, 내 이름은 ________(이)야.

쓰기노트

DAY 04

영단어 쓰기 1

1 dad

2 mom

3 brother

4 sister

5 grandpa

6 grandma

7 he

8 she

9 they

10 we

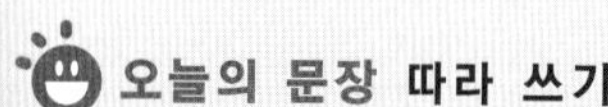

오늘의 문장 따라 쓰기

She is my sister.

그녀는 나의 언니야.

는 선

쓰기노트

DAY 03

영단어 쓰기 1

1 good

2 morning

3 afternoon

4 evening

5 night

6 day

7 meet

8 fine

9 great

10 friend

오늘의 문장 따라 쓰기

Good morning, Jake.

좋은 아침이야, 제이크야.

뜯는 선

영단어 쓰기 2

1	좋은	g
2	아침	m
3	오후	a
4	저녁	e
5	밤	n
6	낮, 요일	d
7	만나다	m
8	괜찮은	f
9	아주 좋은	g
10	친구	f

오늘의 문장 완성하기

Good __________, Jake.

좋은 아침이야, 제이크야.

뜯는 선

영단어 쓰기 2

1	아빠	d
2	엄마	m
3	형, 오빠, 남동생	b
4	누나, 언니, 여동생	s
5	할아버지	g
6	할머니	g
7	그	h
8	그녀	s
9	그들	t
10	우리	w

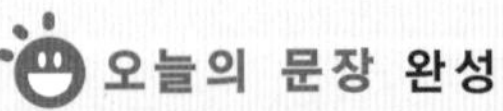

__________ is my __________.

그녀는 나의 언니야.

뜯는

쓰기노트 DAY 06

영단어 쓰기 1

1 chair

2 desk

3 bag

4 textbook

5 pencil

6 eraser

7 pen

8 have

9 teacher

10 student

오늘의 문장 따라 쓰기

Do you have a pen?

너는 펜을 가지고 있니?

쓰기노트 DAY 05

영단어 쓰기 1

1 ball

2 doll

3 robot

4 book

5 crayon

6 brush

7 balloon

8 toy car

9 skateboard

10 sketchbook

오늘의 문장 따라 쓰기

It is my ball.

그것은 나의 공이야.

쓰 기 노 트

DAY 05

영단어 쓰기 2

1 공 b

2 인형 d

3 로봇 r

4 책 b

5 크레용 c

6 붓 b

7 풍선 b

8 장난감 자동차 t

9 스케이트보드 s

10 스케치북 s

오늘의 문장 완성하기

It is my ____________.

그것은 나의 공이야.

쓰 기 노 트

DAY 06

영단어 쓰기 2

1 의자 c

2 책상 d

3 가방 b

4 교과서 t

5 연필 p

6 지우개 e

7 펜 p

8 가지고 있다 h

9 선생님 t

10 학생 s

오늘의 문장 완성하기

Do you have a ____________?

너는 펜을 가지고 있니?

쓰 기 노 트

DAY 08

영단어 쓰기 1

1 like

2 apple

3 orange

4 peach

5 grape

6 pear

7 banana

8 strawberry

9 watermelon

10 tomato

오늘의 문장 따라 쓰기

I like apples.

나는 사과를 좋아해.

쓰 기 노 트

DAY 07

영단어 쓰기 1

1 one

2 two

3 three

4 four

5 five

6 six

7 seven

8 eight

9 nine

10 ten

오늘의 문장 따라 쓰기

I have three balls.

나는 공 3개를 가지고 있어.

쓰기노트 DAY 07

영단어 쓰기 2

1 1, 하나 o

2 2, 둘 t

3 3, 셋 t

4 4, 넷 f

5 5, 다섯 f

6 6, 여섯 s

7 7, 일곱 s

8 8, 여덟 e

9 9, 아홉 n

10 10, 열 t

오늘의 문장 완성하기

I have ____________ balls.

나는 공 3개를 가지고 있어.

뜯는 선

쓰기노트 DAY 08

영단어 쓰기 2

1 좋아하다 l

2 사과 a

3 오렌지 o

4 복숭아 p

5 포도 g

6 배 p

7 바나나 b

8 딸기 s

9 수박 w

10 토마토 t

오늘의 문장 완성하기

I like ____________ s.

나는 사과를 좋아해.

뜯는

쓰기노트

DAY 10

영단어 쓰기 1

1 move

2 head

3 neck

4 arm

5 hand

6 finger

7 hip

8 leg

9 knee

10 foot

오늘의 문장 따라 쓰기

Move your hips.

네 엉덩이를 움직여.

는 선

쓰기노트

DAY 09

영단어 쓰기 1

1 open

2 close

3 touch

4 face

5 ear

6 eye

7 nose

8 mouth

9 hair

10 tooth

오늘의 문장 따라 쓰기

Touch your nose.

네 코를 만져.

뜯는 선

영단어 쓰기 2

1 열다, (눈을) 뜨다 o
2 닫다, (눈을) 감다 c
3 만지다 t
4 얼굴 f
5 귀 e
6 눈 e
7 코 n
8 입 m
9 머리카락 h
10 치아 t

오늘의 문장 완성하기

________ your ________.

네 코를 만져.

영단어 쓰기 2

1 움직이다 m
2 머리 h
3 목 n
4 팔 a
5 손 h
6 손가락 f
7 엉덩이 h
8 다리 l
9 무릎 k
10 발 f

오늘의 문장 완성하기

Move your ________s.

네 엉덩이를 움직여.

쓰기노트

DAY 12

영단어 쓰기 1

1 sky

2 star

3 cloud

4 flower

5 tree

6 rock

7 ant

8 fish

9 bee

10 frog

오늘의 문장 따라 쓰기

Look at the stars.

별들을 봐.

쓰기노트

DAY 11

영단어 쓰기 1

1 look

2 bear

3 dolphin

4 elephant

5 fox

6 giraffe

7 lion

8 monkey

9 zebra

10 zoo

오늘의 문장 따라 쓰기

It is an elephant.

그것은 코끼리야.

쓰기노트

DAY 11

영단어 쓰기 2

1 보다 l

2 곰 b

3 돌고래 d

4 코끼리 e

5 여우 f

6 기린 g

7 사자 l

8 원숭이 m

9 얼룩말 z

10 동물원 z

오늘의 문장 완성하기

It is an ____________.

그것은 코끼리야.

쓰기노트

DAY 12

영단어 쓰기 2

1 하늘 s

2 별 s

3 구름 c

4 꽃 f

5 나무 t

6 바위 r

7 개미 a

8 물고기 f

9 벌 b

10 개구리 f

오늘의 문장 완성하기

Look at the ____________s.

별들을 봐.

쓰기노트

DAY 14

영단어 쓰기 1

1 big

2 small

3 clean

4 dirty

5 new

6 old

7 long

8 short

9 slow

10 fast

오늘의 문장 따라 쓰기

그것은 큰 코끼리야.

뜯는 선

쓰기노트

DAY 13

영단어 쓰기 1

1 take

2 car

3 airplane

4 helicopter

5 boat

6 ship

7 train

8 subway

9 bus

10 taxi

오늘의 문장 따라 쓰기

Take an airplane.

비행기를 타.

뜯는 선

쓰기노트

DAY 13

영단어 쓰기 2

1	타다	t
2	자동차	c
3	비행기	a
4	헬리콥터	h
5	보트	b
6	배	s
7	기차	t
8	지하철	s
9	버스	b
10	택시	t

오늘의 문장 완성하기

Take an ______.

비행기를 타.

뜯는 선

쓰기노트

DAY 14

영단어 쓰기 2

1	큰	b
2	작은	s
3	깨끗한	c
4	더러운	d
5	새로운	n
6	오래된, 나이가 든	o
7	긴	l
8	짧은	s
9	느린	s
10	빠른	f

오늘의 문장 완성하기

It is a ______ elephant.

그것은 큰 코끼리야.

뜯는 선

쓰기노트

DAY 16

영단어 쓰기 1

1 ride

2 bike

3 go

4 concert

5 make

6 pizza

7 paint

8 picture

9 walk

10 together

오늘의 문장 따라 쓰기

Let's go together.

같이 가자.

는 선

쓰기노트

DAY 15

영단어 쓰기 1

1 swim

2 sing

3 dance

4 ski

5 skate

6 fly

7 climb

8 write

9 run

10 jump

오늘의 문장 따라 쓰기

I can swim.

나는 수영할 수 있어.

뜯는 선

쓰기노트 DAY 15

영단어 쓰기 2

1 수영하다 s

2 노래하다 s

3 춤추다 d

4 스키 타다 s

5 스케이트 타다 s

6 날다 f

7 오르다 c

8 쓰다 w

9 달리다 r

10 점프하다 j

오늘의 문장 **완성하기**

I can ____________.

나는 수영할 수 있어.

뜯는 선

쓰기노트 DAY 16

영단어 쓰기 2

1 타다 r

2 자전거 b

3 가다 g

4 콘서트 c

5 만들다 m

6 피자 p

7 칠하다 p

8 그림 p

9 걷다, 산책하다 w

10 함께, 같이 t

오늘의 문장 **완성하기**

Let's ____________ together.

같이 가자.

뜯는

DAY 18

영단어 쓰기 1

1 color

2 black

3 blue

4 brown

5 green

6 grey

7 pink

8 red

9 white

10 yellow

오늘의 문장 따라 쓰기

It is blue.

그것은 파란색이야.

DAY 17

영단어 쓰기 1

1 play

2 soccer

3 baseball

4 basketball

5 badminton

6 tennis

7 playground

8 score

9 win

10 lose

오늘의 문장 따라 쓰기

Let's play soccer.

축구하자.

쓰 기 노 트

DAY 17

영단어 쓰기 2

1 (운동을) 하다, 놀다 p

2 축구 s

3 야구 b

4 농구 b

5 배드민턴 b

6 테니스 t

7 운동장, 놀이터 p

8 점수 s

9 이기다 w

10 지다 l

오늘의 문장 완성하기

Let's play __________.

축구하자.

쓰 기 노 트

DAY 18

영단어 쓰기 2

1 색 c

2 검은색 b

3 파란색 b

4 갈색 b

5 초록색 g

6 회색 g

7 분홍색 p

8 빨간색 r

9 흰색 w

10 노란색 y

오늘의 문장 완성하기

It is __________.

그것은 파란색이야.

뜯는 선

뜯는 선

쓰기노트 DAY 20

영단어 쓰기 1

1 fruit

2 vegetable

3 egg

4 potato

5 candy

6 cookie

7 bread

8 honey

9 milk

10 want

오늘의 문장 따라 쓰기

I want some candies.

나는 사탕을 원해.

쓰기노트 DAY 19

영단어 쓰기 1

1 Sunday

2 Monday

3 Tuesday

4 Wednesday

5 Thursday

6 Friday

7 Saturday

8 today

9 tomorrow

10 yesterday

오늘의 문장 따라 쓰기

It is Thursday today.

오늘은 목요일이야.

선

뜯는 선

쓰기노트 DAY 19

영단어 쓰기 2

1 일요일 S

2 월요일 M

3 화요일 T

4 수요일 W

5 목요일 T

6 금요일 F

7 토요일 S

8 오늘 t

9 내일 t

10 어제 y

오늘의 문장 완성하기

It is ________ today.

오늘은 목요일이야.

쓰기노트 DAY 20

영단어 쓰기 2

1 과일 f

2 야채 v

3 달걀 e

4 감자 p

5 사탕 c

6 쿠키 c

7 빵 b

8 꿀 h

9 우유 m

10 원하다 w

오늘의 문장 완성하기

I want some ________.

나는 사탕을 원해.

쓰 기 노 트

DAY 22

영단어 쓰기 1

1 cry

2 talk

3 push

4 pull

5 enter

6 fight

7 stand

8 sit

9 up

10 down

오늘의 문장 따라 쓰기

Don't push, please.

밀지 마세요.

는 선

쓰 기 노 트

DAY 21

영단어 쓰기 1

1 afraid

2 angry

3 brave

4 sorry

5 happy

6 hungry

7 kind

8 sad

9 shy

10 thirsty

오늘의 문장 따라 쓰기

I am angry.

나는 화났어.

뜯는 선

영단어 쓰기 2

1 두려운 a

2 화난 a

3 용감한 b

4 미안한 s

5 행복한 h

6 배고픈 h

7 친절한 k

8 슬픈 s

9 부끄러운 s

10 목마른 t

오늘의 문장 완성하기

I am ________.

나는 화났어.

영단어 쓰기 2

1 울다 c

2 말하다 t

3 밀다 p

4 당기다 p

5 들어가다 e

6 싸우다 f

7 일어서다 s

8 앉다 s

9 위 u

10 아래 d

오늘의 문장 완성하기

Don't ________, please.

밀지 마세요.

쓰기노트

DAY 24

영단어 쓰기 1

1 eleven

2 twelve

3 thirteen

4 fourteen

5 fifteen

6 sixteen

7 seventeen

8 eighteen

9 nineteen

10 how old

오늘의 문장 따라 쓰기

I am eleven years old.

나는 11살이야.

는 선

쓰기노트

DAY 23

영단어 쓰기 1

1 sunny

2 cloudy

3 windy

4 foggy

5 raining

6 snowing

7 rainbow

8 snowman

9 lightning

10 weather

오늘의 문장 따라 쓰기

It is sunny today.

오늘은 맑아.

뜯는 선

영단어 쓰기 2

1 맑은 s

2 구름 낀, 흐린 c

3 바람 부는 w

4 안개 낀 f

5 비 오는 r

6 눈 오는 s

7 무지개 r

8 눈사람 s

9 번개 l

10 날씨 w

오늘의 문장 완성하기

It is ________ today.

오늘은 맑아.

영단어 쓰기 2

1 11, 열하나 e

2 12, 열둘 t

3 13, 열셋 t

4 14, 열넷 f

5 15, 열다섯 f

6 16, 열여섯 s

7 17, 열일곱 s

8 18, 열여덟 e

9 19, 열아홉 n

10 몇 살 h

오늘의 문장 완성하기

I am ________ years old.

나는 11살이야.

뜯는 선

쓰기노트

DAY 26

영단어 쓰기 1

1 where

2 on

3 in

4 under

5 watch

6 notebook

7 bat

8 box

9 basket

10 table

오늘의 문장 따라 쓰기

It is on the table.

그것은 탁자 위에 있어.

쓰기노트

DAY 25

영단어 쓰기 1

1 busy

2 lazy

3 poor

4 rich

5 soft

6 hard

7 smart

8 foolish

9 thick

10 thin

오늘의 문장 따라 쓰기

How busy!

정말 바쁘구나!

쓰기노트 DAY 25

영단어 쓰기 2

1 바쁜 b

2 게으른 l

3 가난한 p

4 부유한 r

5 부드러운 s

6 딱딱한 h

7 똑똑한 s

8 어리석은 f

9 두꺼운 t

10 얇은 t

오늘의 문장 완성하기

How ____________!

정말 바쁘구나!

쓰기노트 DAY 26

영단어 쓰기 2

1 어디에 w

2 ~ 위에 o

3 ~ 안에 i

4 ~ 아래에 u

5 손목시계 w

6 공책 n

7 야구 방망이 b

8 상자 b

9 바구니 b

10 탁자 t

오늘의 문장 완성하기

It is ____________ the ____________.

그것은 탁자 위에 있어.

쓰기노트

DAY 28

영단어 쓰기 1

1 season

2 change

3 spring

4 summer

5 fall

6 winter

7 warm

8 hot

9 cool

10 cold

오늘의 문장 따라 쓰기

It is warm in spring.

봄은 따뜻해.

쓰기노트

DAY 27

영단어 쓰기 1

1 bathroom

2 bedroom

3 kitchen

4 living room

5 door

6 window

7 wall

8 floor

9 garden

10 garage

오늘의 문장 따라 쓰기

I am in the kitchen.

나는 주방에 있어.

영단어 쓰기 2

1 화장실 b

2 침실 b

3 주방, 부엌 k

4 거실 l

5 문 d

6 창문 w

7 벽 w

8 바닥 f

9 정원 g

10 차고 g

오늘의 문장 완성하기

I am in the ________.

나는 주방에 있어.

영단어 쓰기 2

1 계절 s

2 변하다 c

3 봄 s

4 여름 s

5 가을 f

6 겨울 w

7 따뜻한 w

8 더운, 뜨거운 h

9 시원한 c

10 추운, 차가운 c

오늘의 문장 완성하기

It is ________ in ________.

봄은 따뜻해.

쓰기노트

DAY 30

영단어 쓰기 1

1 piano

2 guitar

3 drum

4 violin

5 bell

6 cello

7 stage

8 speaker

9 camera

10 band

오늘의 문장 따라 쓰기

I can play the piano.

나는 피아노를 연주할 수 있어.

뜯는 선

쓰기노트

DAY 29

영단어 쓰기 1

1 breakfast

2 lunch

3 dinner

4 school

5 time

6 o'clock

7 twenty

8 thirty

9 forty

10 fifty

오늘의 문장 따라 쓰기

It is time for lunch.

점심 먹을 시간이야.

뜯는 선

쓰 기 노 트 DAY 29

영단어 쓰기 2

1 아침 식사 b

2 점심 식사 l

3 저녁 식사 d

4 학교 s

5 시간 t

6 정각 ~시 o

7 20, 스물 t

8 30, 서른 t

9 40, 마흔 f

10 50, 쉰 f

오늘의 문장 완성하기

It is time for ________.

점심 먹을 시간이야.

쓰 기 노 트 DAY 30

영단어 쓰기 2

1 피아노 p

2 기타 g

3 드럼 d

4 바이올린 v

5 종 b

6 첼로 c

7 무대 s

8 스피커 s

9 카메라 c

10 밴드, 악단 b

오늘의 문장 완성하기

I can play the ________.

나는 피아노를 연주할 수 있어.

뜯는 선

뜯는 선

쓰기노트

DAY 32

영단어 쓰기 1

1 bright

2 dark

3 same

4 different

5 easy

6 difficult

7 dry

8 wet

9 high

10 low

오늘의 문장 따라 쓰기

This room is bright.

이 방은 밝아.

쓰기노트

DAY 31

영단어 쓰기 1

1 cook

2 clean

3 study

4 draw

5 eat

6 sleep

7 read

8 help

9 newspaper

10 room

오늘의 문장 따라 쓰기

I am studying.

He is sleeping.

나는 공부하고 있어. 그는 자고 있어.

영단어 쓰기 2

1 요리하다 c

2 청소하다 c

3 공부하다 s

4 그리다 d

5 먹다 e

6 자다 s

7 읽다 r

8 돕다 h

9 신문 n

10 방 r

오늘의 문장 완성하기

I am ________. 나는 공부하고 있어.

He is ________. 그는 자고 있어.

뜯는 선

영단어 쓰기 2

1 밝은 b

2 어두운 d

3 같은 s

4 다른 d

5 쉬운 e

6 어려운 d

7 마른 d

8 젖은 w

9 높은 h

10 낮은 l

오늘의 문장 완성하기

This room is ________.

이 방은 밝아.

뜯는

쓰기노트 DAY 34

영단어 쓰기 1

1 put on

2 glasses

3 gloves

4 socks

5 pants

6 jeans

7 shoes

8 boots

9 button

10 pocket

오늘의 문장 따라 쓰기

Put on your boots, please.

장화를 신으세요.

쓰기노트 DAY 33

영단어 쓰기 1

1 cap

2 hat

3 skirt

4 coat

5 jacket

6 T-shirt

7 sweater

8 wear

9 size

10 large

오늘의 문장 따라 쓰기

He is wearing a hat.

그는 모자를 쓰고 있어.

DAY 33

영단어 쓰기 2

1 야구 모자 c

2 모자 h

3 치마 s

4 코트 c

5 재킷 j

6 티셔츠 T

7 스웨터 s

8 입다 w

9 크기 s

10 큰 l

오늘의 문장 완성하기

He is wearing a ________.

그는 모자를 쓰고 있어.

뜯는 선

DAY 34

영단어 쓰기 2

1 ~을 입다 p

2 안경 g

3 장갑 g

4 양말 s

5 바지 p

6 청바지 j

7 신발 s

8 장화, 부츠 b

9 단추 b

10 호주머니 p

오늘의 문장 완성하기

Put on your ________, please.

장화를 신으세요.

뜯는

쓰기노트

DAY 36

영단어 쓰기 1

1 bowl

2 dish

3 cup

4 pan

5 pot

6 kettle

7 spoon

8 chopsticks

9 fork

10 knife

오늘의 문장 따라 쓰기

There is a bowl in the kitchen.

주방에 그릇이 있어.

쓰기노트

DAY 35

영단어 쓰기 1

1 sweet

2 salty

3 sour

4 spicy

5 bitter

6 ice cream

7 hamburger

8 lemonade

9 curry

10 tea

오늘의 문장 따라 쓰기

It is sweet.

그것은 달콤해.

쓰기노트 DAY 35

영단어 쓰기 2

1 단, 달콤한 s

2 짠 s

3 신, 새콤한 s

4 매운, 매콤한 s

5 쓴 b

6 아이스크림 i

7 햄버거 h

8 레모네이드 l

9 카레 c

10 차 t

오늘의 문장 완성하기

It is ________.

그것은 달콤해.

뜯는 선

쓰기노트 DAY 36

영단어 쓰기 2

1 그릇 b

2 접시 d

3 컵 c

4 팬, 프라이팬 p

5 냄비, 솥 p

6 주전자 k

7 숟가락 s

8 젓가락 c

9 포크 f

10 칼, 나이프 k

오늘의 문장 완성하기

There is a ________ in the kitchen. 주방에 그릇이 있어.

뜯는

쓰기노트

DAY 38

영단어 쓰기 1

1 boy

2 girl

3 man

4 woman

5 baby

6 child

7 adult

8 know

9 slide

10 bench

Do you know that girl?

너는 저 여자아이를 아니?

는 선

쓰기노트

DAY 37

영단어 쓰기 1

1 delicious

2 pretty

3 calm

4 nice

5 fun

6 bad

7 sound

8 feel

9 taste

10 smell

오늘의 문장 따라 쓰기

It tastes delicious.

그것은 맛있어.

뜯는 선

쓰기노트 DAY 37

영단어 쓰기 2

1 맛있는 d

2 예쁜 p

3 차분한 c

4 좋은 n

5 재미있는 f

6 나쁜 b

7 ~처럼 들리다 s

8 느끼다 f

9 맛이 나다 t

10 냄새가 나다 s

오늘의 문장 완성하기

It ________ ________.

그것은 맛있어.

쓰기노트 DAY 38

영단어 쓰기 2

1 남자아이 b

2 여자아이 g

3 남자 m

4 여자 w

5 아기 b

6 어린이 c

7 어른 a

8 알다 k

9 미끄럼틀 s

10 벤치 b

오늘의 문장 완성하기

Do you know that ________?

너는 저 여자아이를 아니?

쓰기노트

DAY 40

영단어 쓰기 1

1 calendar

2 date

3 week

4 weekend

5 month

6 year

7 anniversary

8 birthday

9 holiday

10 festival

오늘의 문장 따라 쓰기

Today is my birthday.

오늘은 내 생일이야.

쓰기노트

DAY 39

영단어 쓰기 1

1 Mr.

2 Ms.

3 gentleman

4 lady

5 teenager

6 captain

7 iguana

8 parrot

9 cute

10 voice

오늘의 문장 따라 쓰기

That captain is Mr. Brave.

저 선장은 브레이브 씨야.

쓰기노트 DAY 39

영단어 쓰기 2

1 (남자) ~ 씨 M

2 (여자) ~ 씨 M

3 신사 g

4 숙녀 l

5 십대 t

6 기장, 선장 c

7 이구아나 i

8 앵무새 p

9 귀여운 c

10 목소리 v

오늘의 문장 완성하기

That __________ is Mr. Brave.

저 선장은 브레이브 씨야.

쓰기노트 DAY 40

영단어 쓰기 2

1 달력 c

2 날짜 d

3 주 w

4 주말 w

5 월, 달 m

6 년, 해 y

7 기념일 a

8 생일 b

9 휴일 h

10 축제 f

오늘의 문장 완성하기

Today is my __________.

오늘은 내 생일이야.

뜯어먹는 초등 필수 영단어 1

뜯어먹는 쓰기 노트

여기를 오려서 미니 단어장 표지로 사용하세요.

뜯어먹는 초등 필수 영단어 1

뜯어먹는
쓰기 노트